D1319530

Penser la nature humaine

essai

Données de catalogage avant publication (Canada)

Germain, Michel, 1952-
Penser la nature humaine
Comprend des références bibliographiques
ISBN 2-89031-382-4

1. Anthropologie philosophique. 2. Philosophie - 20e siècle. 3. Philosophie comparéee. I. Titre.

BD450.G47 2000 128 C00-940974-2

La réalisation de cet ouvrage a été rendue possible grâce à des subventions du ministère de la Culture et des Communications du Québec et du Conseil des Arts du Canada. Nous reconnaissons également l'aide financière du gouvernement du Canada par l'entremise du Programme d'aide au développement de l'industrie de l'édition (PADIÉ) pour nos activités d'édition.
Gouvernement du Québec – Programme de crédit d'impôt pour l'édition de livres – Gestion SODEC

Mise en pages : Thibaud Sallé
Maquette de la couverture : Raymond Martin
Photographie : Patrice Bériault

Distribution :

Canada
Dimedia
539, boul. Lebeau
Saint-Laurent (Québec)
H4N 1S2
Tél. : (514) 336-3941

Europe francophone
Librairie du Québec / D.E.Q.
30, rue Gay Lussac
75005 Paris
France
Tél. : (1) 43 54 49 02

Dépôt légal : B.N.Q. et B.N.C., 4e trimestre 2000
ISBN 2-89031-382-4
Imprimé au Canada

Les éditions Triptyque
2200, rue Marie-Anne Est
Montréal (Québec) H2H 1N1
Tél. et téléc. : (514) 597-1666
Courriel : triptyque@editiontriptyque.com
Site Internet : www.triptyque.qc.ca

Michel Germain

Penser la nature humaine

essai

Triptyque

À tous ces élèves du passé,
pour leurs regards candides
qui m'ont fait philosophe.

Avant-propos

I - Notre objectif

Ce livre est le résultat de dix années d'enseignement collégial, au cours desquelles j'ai fait le pari d'initier mes élèves à huit théories différentes du phénomène humain. Une tâche qui ne fut pas de tout repos, quand l'auditoire a dix-sept ans et des urgences tant existentielles qu'hormonales. Mon but était de sacrifier l'érudition et les digressions afin de cerner l'essentiel de chaque théorie. Je croyais alors, et crois toujours, que de la diversité peut naître la sagesse. Le résultat, c'est ce livre dans lequel le lecteur peut s'initier à diverses théories philosophiques, psychologiques, sociales ou scientifiques de l'être humain. Cet ouvrage sélectionne les concepts essentiels à l'explication de l'être humain et les présente dans un ordre déductif tout en fournissant des illustrations simples.

Pour qui aurait parcouru les textes de certains des penseurs présentés dans ce livre, il semblera que nous simplifions grandement, ou encore que nous insérons des considérations impropres aux penseurs concernés. Vulgariser n'est pas une tâche facile. Notre manière de faire se fonde sur les considérations suivantes. Premièrement, la plupart des analyses de l'existence humaine ici proposées peuvent être utiles au lecteur. Deuxièmement, à son époque un penseur est souvent un défricheur et, par ailleurs, n'a pas l'exclusivité de ses intuitions. Troisièmement, dans notre monde contemporain, il est rare qu'on puisse s'offrir le luxe d'une culture à la fois large et détaillée. Et finalement, libre à chacun de pousser plus à fond l'investigation de la conception qu'il privilégiera. *Ce livre se veut une introduction à diverses théories.*

Nous aimerions qu'en fin de lecture chacun puisse observer les gens dans la rue ou au restaurant et voir en eux, tour à tour, des âmes se véhiculant dans un corps, des Moi dialoguant avec leurs pulsions, des êtres conditionnés, des travailleurs usant de l'idéologie de leur mode de production, des animaux outillés partageant des territoires, ou des consciences se sachant regardées comme corps; selon le besoin du moment, selon le problème à résoudre. Car la grande énigme n'est ni dieu ni l'univers, mais bien que nous puissions exister.

Il importait de mettre en évidence le «squelette philosophique» de ces théories: une présentation ne consiste pas à citer les idées d'un auteur ou d'un champ de science, mais bien à extraire la conception de l'être humain qu'elles suggèrent. Or, c'est plus souvent le travail d'un créateur que celui d'un simple commentateur. Ainsi, on peut d'une certaine manière se passer de Freud ou de Marx en présentant la psychanalyse ou la pensée marxienne. Pour Freud, tout désir est parfumé de sexualité; pour Marx, l'histoire teinte son horizon d'une révolution communiste. Pour qui s'interroge sur la manière dont ces théories appréhendent l'existence humaine, ces précisions et positions sont superflues, elles pourraient alimenter d'autres présentations critiques, mais pas celle-ci. Parfois, il surviendra même un moment où nous devrons défendre la conception contre son concepteur. Là, nous quitterons les textes pour suivre le sentier de la raison.

Cette réduction au squelette philosophique offre de nombreux avantages. D'abord, elle rend possible un plus grand recul en éliminant les partis pris de certains pères fondateurs, tout en donnant à l'approche dans sa globalité une chance de se justifier hors de son contexte d'apparition. Elle nous permet par ailleurs de répondre aux problématiques sélectionnées d'entrée de jeu à la section III.

* *Les termes suivis d'un astérisque (*) se retrouvent dans le glossaire, ainsi que les noms propres non accompagnés d'indications chronologiques.*

II - Qu'est-ce qu'une conception de l'être humain?

Une conception de l'être humain est une théorie à propos du fonctionnement de l'être humain, une description de l'existence humaine. Pourtant, plusieurs opinions ou données concernant l'être humain ne forment pas automatiquement une théorie ou une conception de l'être humain. L'individu qui frappe son verre sur le comptoir du bar en affirmant que l'humanité ne vaut rien, cet être ne possède pas une conception de l'être humain, il n'a qu'un problème d'alcool. Voici deux propositions:

- L'être humain est un être fondamentalement égoïste.
- L'être humain et le singe possèdent un ancêtre commun.

Ces propositions parlent de la nature humaine, mais sans fournir une vision cohérente et articulée de son existence. On ne peut en déduire des conclusions au sujet de la liberté, de la mort ou de l'amour, par exemple. Une véritable conception permettrait de déduire, parmi d'autres considérations possibles, le système politique respectant le mieux la nature humaine, quels objectifs sont essentiels à nos pratiques éducatives, et enfin si nos croyances religieuses, nos mœurs et nos lois respectent la nature humaine.

En se référant à la Bible et à d'autres textes chrétiens fut élaborée la théorie d'un être humain créé par Dieu dans un but précis. Cette conception déboucha sur une morale, une théorie des mœurs, une vision de la mort, une explication de la liberté humaine, et aussi sur un idéal éducatif et politique concrétisé part le catholicisme. Bref, une conception de l'existence humaine entraîne des conséquences politiques et morales. Elle demande implicitement à ses adeptes l'adhésion à des pratiques sociales et culturelles, ainsi que le respect de certaines autorités. Surtout, elle souligne les faiblesses humaines (ici la notion de péché) et suscite une vision du futur (la rédemption).

Il faut aussi souligner le caractère sélectif d'une conception de l'être humain. Il n'existe pas de bonnes ou de mauvaises conceptions. Certes, certaines reposent sur des croyances, d'autres sur des données scientifiques ou des analyses subjectives, mais la plupart ont une utilité qui tient aux dimensions de l'existence humaine qu'elles privilégient et mettent en valeur. En ce sens, toute théorie de l'être humain est une *lecture* des événements et constituants de notre vie, une manière de résoudre les énigmes du quotidien. Comme tout autre outil, il faut savoir quand s'en servir et quand le ranger.

Aussi, par-delà l'exactitude, c'est surtout la pertinence et l'à-propos des diverses conceptions présentées qui retiendront notre attention. Pour qui, en société, se trouve devant un individu agressif, l'approche de Lorenz sera un excellent outil de compréhension. Celui qui s'intéresse à ses réflexes de consommateur usera avantageusement de la théorie du conditionnement béhavioriste. L'individu qui souffre de jalousie pourra puiser dans l'analyse sartrienne ou la psychanalyse freudienne. Nos préjugés de classe s'éclairent de la conception marxienne, et ainsi de suite. Or, chacun porte en soi des préjugés, des conflits, des habitudes et des imperfections de comportement. Qui veut mieux vivre, qui veut comprendre son existence sera d'autant plus efficace dans sa quête qu'il s'armera d'outils pertinents et bien assimilés.

III - La méthode

Nous aborderons chaque penseur en mettant en évidence ses concepts majeurs, tissant des liens entre ces concepts, le tout saupoudré d'exemples illustratifs. Nous synthétiserons chaque conception en répondant à un questionnaire, non pas selon la formule «cochez oui, cochez non», mais au moyen d'un texte court qui s'attarde aux problématiques pertinentes à la théorie en cause. Bref, une manière de mode d'emploi. Car il faut souligner que ce ne sont pas tous les événements de la vie que prend en compte une théorie de l'être humain, et qu'un même événement peut être éclairé différemment par diverses théories. Ainsi, un banquier qui plonge dans le vide du haut d'un édifice est un événement qu'on peut examiner sous plusieurs angles. Nous pourrions mesurer sa vitesse de chute selon la théorie newtonienne. Nous pourrions aussi nous interroger sur cette fuite du jugement d'autrui en termes sartriens, ou encore chercher la corrélation entre la fréquence de l'acte suicidaire et la quantité de territoire (ou de pouvoir) contrôlé, ou mettre en cause les conditionnements de l'individu. Chaque analyse produirait un résultat dont l'intérêt dépendrait de celui qui questionnerait.

Les thèmes que nous avons retenus sont susceptibles de résumer chaque conception. La courte synthèse fournie en fin de présentation montrera comment la théorie rend compte des problématiques suivantes:

• *Quelle est l'essence de l'être humain?* Quelles caractéristiques essentielles permettent d'affirmer qu'un sujet ou organisme est un véritable être humain? Quelles caractéristiques peut-on retirer d'un être sans qu'il perde son humanité? Aussi, quels critères distinguent les sexes?

• *Quel est le statut de la conscience?* Quel est le rôle et l'utilité de la conscience morale ou existentielle, mais aussi le statut de la subjectivité, du point de vue personnel?

• *Quelles distinctions pouvons-nous établir entre l'être humain et l'animal?* Cette différence est-elle irréductible? La conscience y joue-t-elle un rôle?

• *Quelle est l'essence des relations humaines, en particulier de l'amour et de l'amitié?* Ayant établi ce qu'est un être humain et ses conditions d'existence, notre conception nous aiderait maintenant à expliquer ce qui est en jeu dans les rapports humains, en particulier dans l'amour et l'amitié.

• *Quel est le rôle de la liberté?* Existe-t-elle vraiment ou n'est-ce qu'un leurre? À quoi sert-elle? La liberté est-elle un outil ou une aspiration de la conscience?

• *À quoi servent nos connaissances, nos croyances, nos institutions sociales et politiques?* Ce que nous savons vrai, les opinions auxquelles nous adhérons, les lois, les contraintes et conventions sociales que nous respectons, les institutions que nous protégeons, quelles sont leurs véritables fonctions? Sont-elles vitales ou accessoires? Sont-elles aléatoires, ou leur forme d'existence est-elle prévisible, voire nécessaire?

• *La vie a-t-elle un sens?* L'existence individuelle a-t-elle un sens? La suite des générations a-t-elle un objectif qui transcende ma vie personnelle?

• *Qu'est-ce que la mort?* N'est-ce qu'une simple fatalité ou a-t-elle un sens? Être conscient du caractère éphémère de notre vie peut-il nous servir? Le suicide a-t-il un sens?

IV - Critique et comparaisons

Chaque théorie comprend une part d'autojustification et, en ce sens, certaines sont réfutables, d'autres non. Du moins, leur autocritique est originale. De plus, une conception s'avère le plus souvent une description idéalisée de l'être humain. Ainsi, dans l'exemple du christianisme, le problème du mal se posait malgré l'existence d'un Dieu infiniment bon. Par analogie, il est usuel d'expliquer certains comportements en physique en mettant le frottement entre parenthèses, quitte à le réintroduire par après. *Bref, il faut expliquer pourquoi les choses ne vont pas toujours dans le sens de la théorie.* Dans ces cas, la théorie est en partie normative, elle énonce ce qui devrait être, en plus d'indiquer ce qui est observable. Ce serait le cas, par exemple, du marxisme.

L'art de la comparaison est difficile, pourtant il est d'une grande utilité. D'abord, il exige une maîtrise des concepts à comparer. Ensuite, une comparaison permet de jauger les liens qu'entretiennent entre eux les concepts d'une théorie, à la manière d'un puzzle. Substituer une pièce à une autre ne va pas de soi, des restrictions sont à poser. Une partie de notre conclusion sera consacrée à ce sujet.

1

Platon

Exister à charge d'âme

La théorie platonicienne de la dualité entre l'âme* et le corps est la première présentation de l'existence humaine qui ne dépende pas d'une religion. Son importance est double. D'abord, il est aisé d'y greffer une conception religieuse de notre choix. Et puis, elle s'apparente intimement à la recherche des vérités scientifiques produites en laboratoire et au comportement «politiquement correct» que prône actuellement la société nord-américaine. Pour ceux qui s'étonneraient de la pertinence d'une théorie de l'âme dans un monde où baigne une surabondance de technologie, précisons que plus de neuf Nord-Américains sur dix sont croyants et que, jusqu'ici, personne n'a proposé de conception de la vie animée, détachée de toute considération religieuse, qui enverrait celle de Platon aux oubliettes.

I - Socrate et Platon

Né à Athènes vers 427 av. J.-C., Platon fut l'élève génial de Socrate. À peine âgé d'une vingtaine d'années, il est traumatisé par la condamnation à mort de son maître en -399. L'histoire s'indignera du procès fait au vieux Galilée ou des accusations portées contre Darwin; pourtant, il s'agit, dans l'affaire Socrate, de la mise à mort d'un penseur. Les premières œuvres de Platon visent à conserver pour la postérité certains moments de la vie de

Socrate où il discute avec son auditoire. De ce travail émerge la théorie des *Idées** ou *Formes** pures, point de jonction entre les deux hommes. Mais la motivation profonde de Platon demeure la recherche d'une manière correcte de vivre, l'esquisse d'une société juste où la condamnation des philosophes serait impossible, voire impensable. *La République* et *Les Lois*, ses œuvres de la maturité, en témoignent. C'est la philosophie que Platon veut présenter comme une nécessité au sein de la société. Belle leçon pour les philosophes d'aujourd'hui !

La théorie des Idées implique une conception de l'être humain et du sens de l'existence terrestre. Quelques passages de *La République* et du *Ménon* en traitent. Mais c'est surtout au *Phédon* que nous nous référerons. En voici le propos. Socrate vieillissant est accusé d'impiété et de corruption de la jeunesse. Ses prouesses militaires et ses appuis politiques ne sont probablement plus que de vagues souvenirs dans l'Athènes prospère et troublée du IVe siècle. Même s'il se défend avec beaucoup d'éloquence (*Apologie de Socrate, Criton*), il est condamné par un vote serré (280 contre 220). Ses accusateurs exigent la peine de mort, certains de ses élèves suggèrent une amende et se cotisent pour la payer, mais Socrate demande à être nourri à vie aux frais de l'État pour le travail éducatif qu'il a accompli. Les Athéniens sont susceptibles quand il s'agit de respecter l'ordre établi et les lois de la Cité, aussi est-il condamné à mort.

Pourtant, l'exécution tarde ; on lui suggère même une évasion discrète. Socrate refuse, ce serait tout à la fois avouer sa culpabilité et violer les lois de la Cité. Un beau matin, obéissant au jugement, il ingurgite un poison paralysant, la ciguë, qui ne lui laisse qu'une à deux heures de sursis. Ces derniers moments, il les passe à discuter avec quelques jeunes gens. Platon, qui était absent, se chargera de reconstituer ce dialogue (le *Phédon,* justement). Le sujet : la mort, bien sûr. Phédon, Simmias et Cébès s'étonnent du peu de cas que Socrate fait de la sienne. C'est par une analyse de l'existence que Socrate leur répond. Qu'elle soit juste ou non, sa réplique est magistrale, ne serait-ce que parce qu'elle exclut toute hantise de mourir – ce qui n'est pas peu. Mais pour comprendre le raisonnement de Platon il nous faut oublier provisoirement nos croyances scientifiques actuelles concernant l'univers et la vie. Les notions d'âme et de corps, de *ciel** et de terre sont au cœur de la vision du monde antique*. Aussi ferons-nous une pause afin de mettre en place le décor conceptuel dans lequel se meuvent les acteurs du *Phédon.*

II - Les notions primitives de ciel et d'âme

Le monde antique subit l'influence des mythes. Il est rare, hormis chez les philosophes, qu'on se réfère à des écrits ou à des appareils élaborés. Deux concepts fondamentaux de la vision primitive du monde occidental, ceux de *ciel* et d'*âme*, hantent le discours de Platon, et ils s'inséreront dans une vision astronomique qui s'épanouira quelques siècles plus tard.

Dès le Ier siècle de notre ère, l'astronome Claude Ptolémée sédimenta la vision primitive de l'univers propre aux Grecs, aux Romains et aux cultures du Proche-Orient. On appelle couramment cette présentation de l'univers «le monde des deux sphères de Ptolémée». Au centre se trouve la Terre, sphérique car la sphère est la forme parfaite. Tout autour, sur la surface d'une sphère invisible, unies en figures (constellations) stables, se trouvent les étoiles. Et dans l'entre-espace tournent les sept planètes, incluant le soleil et la lune.

Cette scission entre *monde terrestre** et *monde céleste** se fonde sur des observations concrètes et des raisonnements alors fort acceptables. Le monde céleste est constitué de sources lumineuses, les étoiles. Elles exécutent une ronde annuelle autour de la Terre, groupées en constellations immuables. Quelques lumières n'obéissent pas à cette régularité, aussi les nomme-t-on les «vagabondes» de l'espace, les «planètes». La Lune en particulier, à proximité de notre monde terrestre, semble être à la fois lumière et matière. Les étoiles sont sur une sphère qui tourne lentement sur elle-même autour d'une tige invisible, l'axe nord-sud. *Cette rotation est le seul mouvement perpétuel et régulier que l'on puisse observer dans l'Antiquité.* Il nous faut oublier nos connaissance acquises par l'observation astronomique. Pour les Anciens, le Soleil n'est pas une étoile, il est du feu. De même, la Terre n'est pas une planète, mais une masse énorme et sans lumière en comparaison de ces petits points lumineux. D'ailleurs, le génie de

Newton (et de Galilée) ne fut pas de déclarer que la Terre était une planète, mais bien d'affirmer que les planètes étaient «terrestres» et qu'elles chutaient de la même manière qu'une pomme tombe d'un arbre. La description de l'univers que nous fournit l'astrophysique est une description raisonnée qui s'éloigne passablement de ce que nous observons naïvement. Regardons la Lune par un ciel clair. Comment y *percevoir* une masse de 1 738 km de rayon se déplaçant à près de 400 000 km de la Terre, en chute perpétuelle vers nous? Comment y deviner des sommets de plus de 8 000 mètres? Sentez-vous le sol sous vos pieds se déplacer à 107 000 km/h? Nos observations scientifiques contemporaines s'appuient sur des mesures, non sur notre regard naïf. Or, l'être antique ne dispose le plus souvent que de ce regard et il y applique toute son intelligence.

À l'opposé de cette sphère éternelle ponctuée de lumières, nous vivons sur la Terre. Il ne s'agit pas de ce fragile écosystème que notre technologie moderne peut chambarder à coups de têtes nucléaires, de mégabarrages, de pollution ou d'armes chimiques. La Terre est ce centre solide et immobile du monde. Nous, Modernes, savons que la Terre voyage dans l'espace et que le mouvement solaire n'est qu'apparent. Pourtant, il a fallu plus d'un millénaire et demi et que soient résolues de difficiles embûches mathématiques pour que nous acceptions cette hypothèse. La Terre n'offre pas de sources lumineuses éternelles, pas de mouvement. Elle est lourde, immobile et corruptible. Tout s'use, même les montagnes. Celui qui vit dans le monde industriel du prêt-à-jeter peut ne pas être sensible à cette usure. Le primitif, lui, produit à peu d'exemplaires ; chaque objet qui s'use au fil du temps rappelle cruellement que tout est toujours à refaire, à reconstruire. Il en va de même du cycle de la vie et des saisons.

Les mondes céleste et terrestre s'opposent donc. Cette dualité céleste/terrestre soustend celles qui existe entre le stable et le mouvant, la lumière et la matière, l'éternel et le temporaire. Qui peut invoquer les propriétés du ciel, ne serait-ce que pour une brève période et en un lieu précis, possède un grand pouvoir. Le prêtre, le sorcier ou le chamane prétendent l'utiliser: ils invoquent les dieux du ciel, ceux qui ne s'usent pas.

L'autre distinction tranche entre le vivant et le mort. Afin de cerner le principe du vivant, il suffit de faire une soustraction. Ce qui distingue l'être vivant de l'être mort, c'est la chaleur, le souffle et le mouvement. Alors, qu'est-ce qu'être vivant? C'est posséder un corps terrestre habité par un souffle chaud qui l'anime: une *âme*. Ainsi dit-on encore de celui qui meurt qu'il «expire». L'impression de rester jeune d'esprit, même dans un corps vieillissant, tendrait à appuyer ce raisonnement. Le mystère du vivant tient donc à cette alliance invraisemblable: un élément invisible, mobile et permanent, une âme habitant un corps inerte et périssable. Cela dit, il reste à déterminer le contenu de cette âme, et la raison de sa présence sur terre. C'est dans ce contexte que la solution de Socrate telle que nous la transmet Platon prend toute son originalité.

*III - Le travail des concepts abstraits**

Une autre mise au point essentielle avant d'aborder la théorie des *Idées* est de s'assurer que la distinction entre le concept et l'ensemble de ses *occurrences** est bien comprise. Prenons deux concepts: «être humain» et «cercle». En fournir une définition reviendrait à rédiger une description de leurs propriétés essentielles. Cette description serait une définition adéquate de ces concepts si, d'une part, elle permettait d'identifier tous les exemples concrets, les occurrences de cercle ou d'être humain, et si, d'autre part, elle rejetait en bloc tout autre objet, événement ou sujet. Or, le concept et l'ensemble de ses occurrences diffèrent radicalement. Nous savons en gros ce qu'est un être humain, nous en connaissons tous un certain nombre. Il est possible de décrire la couleur des yeux de chacun d'entre eux, de ses cheveux, son sexe ou son occupation. Pourtant, si tout être humain possède un sexe et des yeux, quand je prétends connaître le concept d'être humain, je ne peux spécifier aucune de ces caractéristiques à son sujet. Et c'est précisément ce qui distingue un concept de chacune de ses occurrences. Le concept est une forme générale, appréhendée par l'esprit ou la raison, alors que chaque occurrence est un cas concret, un exemple spécifique, une illustration du concept.

Un cercle est une figure fermée dont tous les points sont équidistants d'un centre commun. Tout ce qui n'est pas conforme à cette description n'est pas un cercle; tout ce qui s'y conforme en est une occurrence. *Le* cercle n'est pas fait de bois, de craie ou de métal, il ne s'érode ni se déforme. Il est sans poids, sans couleur, sans épaisseur ni coût de production. Personne ne peut en revendiquer la possession et il n'occupe nul espace. Pourtant, chaque cercle concret possède certaines de ces caractéristiques. Cela dit, Platon s'est posé une question en apparence banale: comment fait-on pour percevoir un cercle? C'est-à-dire, comment faire pour reconnaître le concept de cercle dans un dessin, un objet ou une figure, mais non dans d'autres dessins, objets ou figures?

Imaginez un écran de cinéma ou une photographie à faible résolution. Nous y percevons une scène quelconque, un objet ou une figure. Pourtant, nous ne percevons pas l'écran ou la photographie tels quels, sinon nous verrions qu'ils sont composés de petits points lumineux bien assemblés en rangées et en colonnes. Nous avons passé outre et regroupé ces points en formes, et ces formes en objets dans l'espace. Voilà ce que nous percevons.

Nous pouvons généraliser cet exercice à notre vision en général. L'univers de textures, sons et couleurs devant moi est un ensemble d'objets localisés dans un espace à trois dimensions, objets qui persistent dans le temps. Cette table, cette chaise, cet ordinateur que j'utilise pour écrire ce texte, ce livre que vous lisez, sont des objets construits par l'esprit. Le très jeune enfant ne les perçoit pas. Il doit apprendre à les voir. De fait, chaque rétine au fond de l'œil reçoit plus d'un million d'informations. Il y a donc un travail certain de la perception* qui reformule et synthétise la sensation* afin de réduire ces données à des formes. Il n'y a pas un million de minuscules objets devant moi. Alors surgit le problème de l'origine de ces formes qui permettent l'assemblage d'un nombre restreint d'objets. Comment percevoir un cercle? Si, par la vision, j'isole un groupe de sensations et que j'y applique le concept de cercle afin de conclure qu'il y a là, devant moi, une occurrence de cercle, *ce raisonnement suppose que cette notion abstraite du cercle existait avant que j'en perçoive des occurrences*, soit tous ces cercles que je perçois par la vision.

À première vue, deux solutions simples permettent de résoudre l'énigme. La première se fonde sur l'apprentissage. À force de voir des cercles de différents rayons, faits de différents matériaux, je réussis à en extraire le principe ou la définition du cercle. Bref, de la synthèse des cas particuliers surgirait la forme pure. Mais cette explication ne fait que camoufler le problème. Où se trouve le principe par lequel j'extrais la généralité des cas particuliers? Pire, comment faire pour isoler certaines figures particulières comme étant des exemples de cercles et d'autres comme n'en étant pas? Si la perception implique le travail d'une forme pure de l'esprit s'appliquant à des sensations, sans ces formes l'écran de cinéma et la photographie mentionnés précédemment demeureraient des myriades de points et rien de plus. Nous ne pouvons pas tirer le général du particulier, car la forme généralisatrice est antérieure aux occurrences qu'elle permet de sélectionner.

L'autre solution suggère que nous l'avons appris d'un autre être humain. Nous pourrions rétorquer que lui aussi a dû l'apprendre. Il nous faudrait alors régresser ainsi jusqu'au singe qui n'en a pas la moindre idée ! Mais nous allons opposer à cette solution le même test qu'à la première. Si quelqu'un me l'a appris, il a fallu qu'il me parle, qu'il trace des figures; bref, qu'il m'envoie des sensations sonores et visuelles. Il s'apparente alors à un écran de cinéma ou à une photographie. Si les termes qu'il utilise supposent qu'il a compris ce qu'était un cercle, ces termes doivent être prononcés ou lus, et alors ils deviennent des sons, des couleurs et des formes, des sensations pour moi. Pour les ramener à une forme, à un principe abstrait, je dois faire un travail de perception qui, encore une fois, suppose déjà la présence active en moi de ces principes. Qu'une autre personne m'aide dans ce travail en fournissant les exemples n'entraîne pas qu'il s'ingère dans mon apprentissage des concepts. Mentionnons que c'est la démonstration que tente Socrate dans le *Ménon*.

Il suffit d'imaginer quelqu'un parlant ou écrivant une langue inconnue pour saisir que, au départ, langue et écriture ne sont que sons et taches d'encre. Alors, d'où proviennent ces formes, ces idées, ces concepts abstraits? Voici la solution platonicienne, soit sa théorie des *Idées**. Nous pourrons douter de sa véracité, pas de son ingéniosité.

*IV - Le souvenir des idées abstraites: la réminiscence**

Imaginons un dialogue. Qu'est-ce que le courage? demande Socrate, entouré de jeunes athlètes. C'est faire face à l'ennemi, déclare l'un. Mais n'est-il pas courageux celui qui sait se replier quand la défaite est assurée, et qui prévoit revenir en plus grand nombre? Alors le courage, c'est faire face au danger de manière efficace, corrigera l'autre. Mais, demande Socrate, celui qui entre dans une maison en feu afin de secourir un enfant alors qu'il lui sera impossible d'en ressortir, celui-là n'est-il pas plutôt téméraire que courageux? Pourtant, quand nulle solution n'est envisageable, n'a-t-on d'autre recours que l'impossible? Le dialogue se poursuivrait ainsi jusqu'à ce que, las d'être pris en défaut, ses interlocuteurs avouent leur impuissance et demandent à Socrate la bonne définition du courage. Le thème aurait pu être la justice ou l'égalité, peu importe, la réponse de Socrate restera toujours la même: «Je ne le sais pas.» L'essentiel de l'exercice ne consistait pas à obtenir une réponse, mais plutôt à saisir que, malgré notre impuissance à cerner ces notions abstraites, nous les utilisons chaque jour activement dans la perception d'événements et d'objets. Or, au-delà de la richesse des exemples de courage ou d'égalité que la vie propose, nous pouvons constater que ces notions de courage et d'égalité transcendent toutes leurs applications (occurrences): *donc nous possédons déjà ces concepts en notre âme.*

Imaginons un musée consacré à toutes les formes d'égalité. On y verrait deux masses de même poids, deux surfaces égales, deux couleurs, et ainsi de suite. Mais aussi des égalités de droit social, d'équations mathématiques, de métaphores, d'harmonies musicales. Avouons-le, nous pourrions nous perdre dans les corridors de cet édifice. Supposons maintenant qu'un visiteur y entre inopinément. Ce visiteur est particulier, il ne connaît pas la notion d'égalité. Il vous faudra admettre que ce visiteur sera incapable de préciser le sujet de cette exposition. Nous ne pouvons apprendre en généralisant sur la base de plusieurs cas semblables, car la propriété commune à tous les exemplaires devrait *déjà être comprise*, ce que met en évidence l'exemple du musée.

Nous ne saurons jamais ce qu'est un concept dans sa forme pure, exempt de toutes les particularités de ses représentations concrètes, car nous ne sommes pas simplement une âme. Pourtant, nous pouvons appliquer un principe de réduction: éliminer toute sensation, toute émotion d'une perception attachée à un concept. Ce qui reste, et que l'esprit conçoit difficilement, est le chemin déjà très déterminé qui mène à ce concept présent dans une âme incorporelle, avant qu'il ne fusionne en perceptions dans les sensations du quotidien.

Les concepts abstraits seraient donc contenus dans l'âme avant toute perception. Étant immatériels*, abstraits, invisibles et inusables, ils seraient comme l'âme de source céleste. Aussi, apprendre consisterait donc à se souvenir de ce contenu abstrait venant d'ailleurs. Mais cette réminiscence diffère du souvenir ordinaire par sa cible. Une chanson ou un objet peuvent évoquer l'être aimé, un voyage ou l'enfance, mais ici le lien exécute un saut temporel entre deux éléments «terrestres». Seul l'amoureux voit des intentions, affirmait l'écrivain Roland Barthes; l'amant voit des signes dans les gestes de celle qu'il aime, il les interprète en fonction de son amour. Les signes que le platonicien* amoureux des Idées voit dans les perceptions sont d'une nature particulière. Le souvenir dont parle Platon permet d'effectuer un saut qualitatif, passant de la sensation concrète au savoir abstrait*. Ce saut, c'est l'acte de percevoir qui l'assure. Connaître exige l'association d'une sensation et d'un savoir préalable qui, unis, forment la perception. Il y a réminiscence quand nous prenons conscience de la présence de ce savoir abstrait au cœur de notre perception. Mais nous saisissons cette présence comme une *absence présente** dans nos perceptions. Pourquoi une absence présente? Sartre remarquera, deux millénaires plus tard, que si nous pouvons voir que Pierre *n'était pas* à la cafétéria, l'absence de Pierre est donc perceptible, positive. Il en va de même des concepts abstraits. Quand je perçois un cercle, je vois plus qu'un simple dessin, je vois l'idée du cercle présente dans ce dessin, même s'il s'agit toujours d'un exemple, avec toutes les limitations dues à sa condition terrestre.

Dans le dialogue du *Phédon*, Platon fait la première analyse existentielle connue. Socrate y affirme que vivre consiste à avoir des perceptions. Ces perceptions s'alimentent des sensations du corps, informations que l'âme organise en figures. Mais, ce faisant, l'amoureux des Idées pures comprend que ces concepts abstraits sont présents à son regard sous forme d'exemples imparfaits. Quand je considère deux couleurs, deux longueurs ou deux poids égaux, je sais que le concept d'égalité dont je me sers n'est pas cette couleur, cette longueur ou ce poids, mais un principe bien pauvrement illustré par ces occurrences. Même en y consacrant tout un musée, je n'arriverais point à *matérialiser* cette notion d'égalité que j'utilise. Elle est présente dans chaque perception comme agent, mais absente comme objet: je reconnais une occurrence de l'Idée d'égalité.

V - La vie terrestre

L'âme est incorruptible. De nature céleste, emplie de concepts abstraits, elle ne peut subir l'usure propre aux objets terrestres. La mort n'est donc qu'une simple séparation du corps et de l'âme. Son inverse, la naissance, consiste en leur union temporaire. Bref, l'âme séjourne dans des corps sur terre. Chaque naissance implique l'incarnation d'une âme immortelle dans la chair. Mais pourquoi ces séjours? Ne s'agit-t-il que d'un karma, d'une pénitence dont il faudrait réussir à s'affranchir? C'est ici que joue la «primitivité» de Socrate et de Platon. Dans le monde céleste, aucune évolution n'est possible, c'est la condition du mouvant éternel. Le dieu de la guerre veut guerroyer chaque jour, il ne connaît pas ces moments de lassitude où l'on se remet en question. Le séjour de l'âme dans le monde terrestre est l'occasion de manipuler un véhicule, le corps. Alors, l'âme peut faire l'expérience du particulier, de ce qui devient autre chose, l'expérience du devenir dans ce monde périssable. L'âme aurait donc un but, une mission. Laquelle?

Les séjours de l'âme peuvent être comparés à l'évolution du savoir mathématique. Un premier humain a conçu les bases de l'addition selon l'idée de nombre (quantité) et d'égalité (comparaison), puis il est mort. Supposons qu'il ait mis en texte sa découverte. Un autre lira ces pensées séchées sur papier et inversera l'opération d'addition, découvrant la soustraction. Ce faisant, il allongera le texte de son prédécesseur. Un autre en déduira la multiplication, et ainsi de suite. Chaque mathématicien naît, atteint sa maturité, s'appuie sur le savoir connu et redécouvert par lui, puis apporte sa contribution. D'une naissance à l'autre, le texte rendant compte du savoir mathématique s'allonge. Mais chaque nouveau mathématicien qui lit ce texte ne fait que voir des taches d'encre sur du papier. Parce qu'il est amoureux des mathématiques, leur ordre lui suggère que ces *signes* ne sont pas placés dans cet ordre de manière fortuite, qu'un sens s'y cache, que des concepts abstraits en ordonnent la suite. Cette présence absente l'aiguillonne afin de chercher en lui la source de cette intelligence qui comprend le texte; c'est alors qu'il devient un véritable mathématicien. L'âme serait comme un livre de mathématiques. Incarnée dans un corps, elle produirait un mathématicien. Elle n'est plus un souffle de vie, comme chez les primitifs, mais ce qui se saisit d'un savoir éternel.

La vie humaine va ainsi. Il est possible de *s'apprendre soi-même par la lecture du texte de la nature*. À chaque mort, l'âme se sépare du corps et la partie matérielle et sensible de ce séjour est perdue. Il n'est donc pas possible de se souvenir de nos vies antérieures, car ces souvenirs composeraient avec des sensations corporelles. Nous ne sommes pas plus aptes à nous rappeler nos séjours célestes*, car là, nul corps, nulle perception ne peut susciter le souvenir. De fait, si la théorie de Platon est exacte, *chacun de nous est en fait le composé d'une âme et d'un corps et, dans cette condition terrestre, il nous est impossible de comprendre ce qu'est une âme séparée du corps, encore moins ce que serait d'être un corps, une simple chose.* Nous ne pouvons que ressentir l'action de l'âme, grâce au travail des concepts abstraits, que sentir cet élément impalpable en nous.

Que peut-on tirer de cette conception de la condition humaine? D'abord, elle a le mérite d'exorciser nos peurs quant à la certitude de notre mort. Au fond, nous ne faisons que nous débarrasser d'un véhicule usé pour retourner dans le monde céleste et immatériel, en attente d'un autre véhicule. Bien sûr, nous allons perdre notre personnalité, mais l'âme en produira une autre dans une vie probablement meilleure. Pourquoi meilleure? Parce que la suite des séjours des âmes a déposé son «texte» dans la nature, sous la forme de connaissances et d'institutions. Nous appelons ce dépôt la *culture*. Celle-ci facilite l'entretien de notre corps «véhicule» et accélère notre éducation, soit la reconnaissance des concepts abstraits. La description de l'existence que proposent Platon et Socrate s'apparente à celle d'un chercheur qui se consacre à l'étude de la science dans son laboratoire. Pour ce chercheur, l'étude de la nature donne accès à un savoir qu'il découvrira et développera à nouveau, de séjour en séjour. Pour Platon, ce laboratoire devrait comprendre une organisation sociale où l'éducation de l'âme serait prioritaire.

D'incarnation en incarnation, l'âme progresse-t-elle? Accumule-t-elle plus de savoir ou ne fait-elle que se souvenir plus rapidement? Platon demeure muet à ce sujet. Il est certain qu'une âme neuve doit contenir un minimum de concepts qu'elle utilise dès sa première incarnation (littéralement: mise en chair, *in carne*). Soit que son savoir progresse et gonfle l'âme comme dans le cas d'un livre de mathématiques, soit que ce savoir est déjà tout en elle et que seule la brièveté de la vie terrestre l'empêche de se rappeler tout son contenu. Alors donc, ou bien les idées se développent et s'emportent, elles sont notre gain; ou bien le développement de la civilisation accélère l'application de ces idées sous forme d'évolution technologique et sociale, dispositions matérielles pouvant en fin de compte libérer l'âme devenue lucide du karma de la succession des incarnations. Ici apparaît la frontière entre la réflexion philosophique et la théorie religieuse: il faut répondre par un acte de foi.

Se préparer à la mort ressemblerait au vœu d'un mathématicien qui voudrait ne vivre que dans ses recherches, pour les chercheurs à venir, défiant le temps et l'usure dans cette course à relais vers l'ultime compréhension d'un pur savoir. La reconnaissance des concepts est la seule activité qui compte pour Platon et c'est la préoccupation des êtres vertueux. Il est inutile d'amasser des biens, de s'abreuver de sensations ou de cultiver son corps, car ces gains sont éphémères, ils ne seront pas du voyage final. Platon souligne ce dédain du corps tout comme le fera plus tard le christianisme. L'art qui ne cherche qu'à copier les formes terrestres, l'amour des sens, les passions et les jeux privent l'âme d'un temps précieux qui pourrait être consacré à son éducation. Bien sûr, il faut produire de nouveaux «véhicules» pour les âmes en attente, assurer leur entretien, mais il ne faut pas perdre de vue l'utilité de ce séjour terrestre. Est équilibré celui qui n'oublie pas son but. Malheureusement, peu d'individus sont équilibrés, d'où nos sociétés imparfaites. Si le peuple était guidé et éduqué par les philosophes, les gouvernements favoriseraient cet équilibre.

La société idéale de Platon est sévère, les simples joies de la vie, le jeu et certains arts en sont absents. Elle ressemble à ces sectes que connaît notre société occidentale. Y sont absents drogue, délinquance et violence, mais au sacrifice de nombreuses passions. C'est le prix à payer, affirme Platon.

VI - Synthèse

Chacun de nous est le composé d'une âme et d'un corps, et il nous est impossible de comprendre ce qu'est une âme pure, encore moins ce que ce serait d'être une simple chose. Nous n'avons pas d'idée au sujet de l'âme, encore moins une intuition au sujet de son essence, car étant vivante et divine à la fois, elle serait en partie périssable (d'où sa capacité à l'oubli peut-être).

L'être humain est essentiellement une âme dans un corps accessoire. Platon ne distingue pas les hommes des femmes, sauf exceptions (ainsi dans *Le Banquet*). Dans les conceptions animistes*, l'âme féminine est moins pure que celle de l'homme. Comme dans le règne animal, la femme a pour fonction d'assurer le stock de «véhicules», les corps. L'homme est donc déchargé de cette tâche ingrate et peut se consacrer à son esprit (en théorie, du moins). C'est Thomas d'Aquin qui, au XIIIe siècle, soutint que la femme avait une âme, en contradiction avec la tradition judéo-chrétienne. Sa théologie*, le thomisme*, s'imposa à la religion catholique et domina l'éducation au Québec jusqu'à la Révolution tranquille des années 1960.

Le rôle de la conscience est de nous aider à retrouver un savoir théorique oublié, et ainsi de guider notre existence terrestre (voir l'analogie du cocher et des deux chevaux, dans le *Phèdre*). Elle est donc à la fois une conscience existentielle* et morale*. Étant animés, les animaux possèdent une âme sans raison ou sans conscience, c'est pourquoi ils n'évoluent pas.

Les relations humaines, en dehors des nécessités du corps, devraient se centrer sur l'éducation, l'entraide et l'échange d'idées. L'amour, au-delà des passions corporelles, est un intérêt manifesté pour l'âme de l'autre: sa véritable identité. Il se sublime dans l'amitié. Soulignons que, chez les êtres humains, chacun est libre de se consacrer à l'amélioration de ce savoir.

Les connaissances abstraites constituent le contenu de l'âme. Croyances et organisations politiques autant que sociales devraient susciter l'éducation et l'évolution de l'âme, mais elles s'avèrent le plus souvent inadéquates car trop préoccupées par le bien-être du corps.

L'univers terrestre est l'occasion d'un séjour temporaire visant à l'amélioration de l'âme. Le sens de la vie est une constante préparation à la mort, à une autre vie. La mort est le retour au monde céleste, une pause causée par l'arrêt du véhicule corporel.

VII - Critique

L'âme semble avoir perdu son souffle au profit de la biologie cellulaire, mais a-t-elle pour autant perdu ses idées? La toute nouvelle science neuropsychologique* a remis en question l'explication par le souvenir en proposant de nouveaux modèles de la génération des concepts abstraits, remettant même en cause la subjectivité* qui parle de ces abstractions. Il s'agirait plutôt de généralités. Mais nous pourrions rétorquer qu'il s'agit là d'une science du corps: elle doit se contenter d'expliquer comment les notions de l'âme atteignent la sensation et sont traitées dans le corps. En ce sens, la théorie de Platon ne peut être prise en défaut.

Quant à la solution que Platon propose aux maux de notre civilisation, c'est-à-dire confier le bien-être de chacun à l'État éducateur, elle rappelle l'idéal communiste qui, jusqu'à preuve du contraire, fut un échec quand il a été imposé par la volonté d'un petit nombre. Par ailleurs, il n'est pas assuré que certaines questions morales ou politiques aient une solution universelle. Il n'existe peut-être pas de critères objectifs en morale, en politique ou en éducation. Nous pouvons observer quotidiennement nos penseurs et philosophes argumenter entre eux, même ceux qui assurent avoir reçu l'illumination de Dieu. Les sages ne s'entendent guère entre eux.

Quand nous avons proposé une explication du sens de la vie terrestre, nous nous sommes appuyé sur l'analyse du *Phédon* et sur les implications logiques issues du monde des deux sphères de l'Antiquité*. Afin de fermer la boucle, nous avons dû nous opposer à Platon. On trouve dans le *Phèdre* une image un peu simpliste d'une âme «cocher». Par cette méthode qui lui est typique, Platon passe souvent d'une explication rationnelle à un modèle mythique, les âmes chutent dans des corps. De même, la dernière partie du *Phédon* montre Socrate qui discourt sur l'Hadès (les Enfers). Ces recours à la mythologie, n'en déplaise aux platoniciens purs, ne sont d'aucune utilité, d'aucune objectivité et ne favorisent en rien l'analyse rationnelle de l'existence humaine que développe Platon le philosophe. Les déductions que nous avons suggérées pour expliquer les séjours des âmes dans les corps sont à notre sens les seules que l'analyse rationnelle de Platon autorise.

Exercice

À quel moment l'âme s'incarne-t-elle dans le corps? Cela pourrait peser lourd dans la décision d'une interruption volontaire de grossesse si nous supposons que la simple destruction d'un corps terrestre sans âme n'est pas un crime. Le plus difficile est de fournir des arguments afin de rendre crédible une position sur ce sujet. Elle suppose une théorie précise quant à l'incarnation des âmes. Chez Platon, un fil directeur facilite la tâche: à quoi servirait-il à l'âme d'être dans un corps tant qu'elle ne peut l'utiliser à ses fins? Donc, il s'agira d'avancer des arguments permettant de décider du moment de l'incarnation de l'âme d'une part, et d'expliquer pourquoi la présence d'une âme avant cette période n'est pas plausible, d'autre part.

Médiagraphie

Les œuvres de Platon sont disponibles dans plusieurs éditions, avec ou sans commentaires, ou sous forme abrégée. Nous suggérons en particulier:

BRISSON, Luc : *Puissance et limites de la raison*, Les Belles Lettres, 1995. On y trouve une critique des preuves du *Phédon*.

PLATON : *La République*, Gonthier, 1969. Traduction d'Émile Chambry. On y analyse les vertus et le rôle du philosophe dans la société juste.

Le Banquet, Flammarion, 1999. Traduction de Luc Brisson. Cet ouvrage porte sur l'amour, les sexes et les choix sexuels.

Ménon, Flammarion, 1991. Traduction de Monique Canto-Spreber. Ce texte contient une démonstration de la capacité à se souvenir, et donc une preuve de l'immortalité de l'âme.

Phèdre, Garnier Flammarion, 1964. Traduction d'Émile Chambry. On y traite, entre autres, de l'analogie de l'âme et du cocher.

Phédon, GF-Flammarion, 1991. On y trouve une présentation de preuves de l'immortalité de l'âme à partir de la réminiscence, ainsi que la vision socratique du séjour chez les morts.

2

Berkeley

Les bulles spirituelles

Et Dieu dans vos systèmes? demandaient les évêques aux penseurs du XVIIIe siècle* qui, comme La Mettrie, concevaient des théories mécanistes de l'univers et de l'être humain. Nous n'en avons pas eu besoin, répondaient-ils, il s'agit d'une hypothèse superflue. Pourquoi ne pas vous passer de l'idée de matière à la place? proposa Berkeley, cela aussi serait sensé. Il en fit la démonstration dans ses écrits: la philosophie *immatérialiste** était née.

Quand Newton publie sa théorie gravitationnelle*, George Berkeley a deux ans. Au moment où il devient évêque, l'opinion a fait son chemin: *une matière inerte* est la réalité ultime et la source objective de notre savoir.* L'idée d'un Dieu créateur et ordonnateur du monde perd du terrain dans les sphères intellectuelles, la matière seule suffit, du moins est-elle le support privilégié de Son œuvre. Berkeley va contester l'existence de cette matière aussi inerte qu'inaccessible. Si sa démonstration n'a pas obtenu l'approbation des intellectuels et penseurs depuis lors, ce n'est ni en raison de sa fausseté ni de son invraisemblance. La grande majorité des critiques adressées à sa position repose sur l'ignorance et l'incompréhension des fondements de sa théorie. Kant lui reprochera même de ne pas pouvoir être prise en défaut. Qu'importe, Berkeley a montré qu'il existait une solution de rechange à l'idée de matière inerte. Ce faisant, nous allons découvrir une conception étonnante de l'être humain.

Le point de vue de Berkeley se rapproche de celui des instrumentalistes en science. Ce point de vue, soutenu par le physicien Ernst Mach (1838-1916), entre autres, prétend que toutes les théories et toutes les lois de la physique ou de la chimie ne sont que des outils opératoires servant à décrire et à prédire des phénomènes. On n'y trouve pas d'explication de la réalité, mais simplement des mesures régulières.

I - L'apparition des sciences physiques

Le médecin, mathématicien et philosophe français René Descartes fut un des pionniers d'un mouvement qui mit en évidence la nécessité de règles strictes afin de produire des connaissances véritables. Quelques siècles plus tard, ces efforts aboutirent à la formulation des règles de la logique moderne* ainsi qu'à l'observation expérimentale des phénomènes physiques. Cet effort pour réglementer nos raisonnements s'opposait à diverses pratiques traditionnelles comme la théologie, l'alchimie ou la magie. Dans le raisonnement magique, on admettait que nous puissions extraire la mort du tibia d'un cadavre, par exemple. La pratique alchimiste soulignait que, pour fabriquer des produits purs, l'opérateur devait avoir des intentions pures. Dans sa forme la plus simple, l'existence de Dieu était assurée du simple fait que nous puissions le concevoir. Le leitmotiv du Moyen Âge peut se résumer ainsi : il faut avoir la foi afin de découvrir et de comprendre. Les esprits rationnels critiques qui ont marqué la modernité ont conclu que notre esprit raisonne à partir de phénomènes et que nos raisonnements visent à deviner la constitution de la réalité. Les sentiments, les intentions et la foi de chacun doivent céder la place libre à l'observation objective des phénomènes récurrents.

Dans une œuvre déterminante pour la science, la *Critique de la raison pure*, Immanuel Kant expliqua que le savoir humain consiste à utiliser les règles de la raison afin de concevoir des théories (les équations mathématiques ou les lois de composition des molécules, par exemple). En associant ces savoirs aux informations que nous obtenons par nos sens, nous parvenons à expliquer les phénomènes de la nature. Les résultats obtenus grâce à cette méthode expérimentale* produiront un savoir véritable, indépendant de qui le trouve, car les lois de la nature ainsi mises en évidence pourront être à nouveau vérifiées par tout un chacun (ce que font les élèves en sciences dans leurs travaux de laboratoire). La vérité de ces lois tiendra à une correspondance présumée avec une réalité inaccessible, l'objet en soi*, qui existe indépendamment de nous. La physique de Newton fut le triomphe de cette conception du savoir.

Cette démarche, si commune de nos jours qu'il semble vain d'en mentionner le principe, eut des conséquences. D'abord, celle de poser face à l'être humain une réalité indépendante de la connaissance qu'il en obtient, mais surtout celle de montrer le caractère humain de la représentation du monde que suscite cette réalité en nous. Or, cette dernière conséquence demeure incomprise par le commun des mortels, aussi faudra-t-il nous y attarder avant de plonger dans l'immatérialisme.

Prenons un exemple simple, ce livre que vous tenez entre les mains. Il possède un poids, des couleurs, une texture et beaucoup d'autres propriétés dont vos sens vous informent. Pourtant, cette formulation est erronée d'un point de vue rationnel. *Ces couleurs, poids et autres caractéristiques sont la manière dont nos sens s'adaptent à la réalité du livre.* Nos sens transmettent ces propriétés telle une lettre son message, ils interprètent la réalité à la mesure de leur sensibilité, grâce à un code. Tel que vous le percevez, le livre *est* le résultat de cette interprétation. La preuve? Ce livre est fait d'atomes. La réalité n'a pas de couleurs, les atomes non plus. La couleur provient de l'action de photons (la lumière) qui frappent l'objet. Si nous n'avions pas la vue, notre monde serait sans couleurs. Ces couleurs sont notre manière d'être témoins de l'action de la lumière sur la matière. Le résultat de ce codage constitue nos couleurs, notre témoignage. De même la solidité, cette impression que le livre est plein d'une matière, est une simple sensation qui traduit la force de cohésion des molécules qui constituent le livre. *En réalité*, ce dernier est en très grande partie empli de vide. Bref, ce livre perçu manifeste certaines propriétés du livre réel. Qu'il ne les manifeste pas toutes est sans importance, nos sens nous en révèlent suffisamment sur le monde pour que nous puissions fonctionner (voir au chapitre 10 la présentation détaillée du système d'information du robot humain). D'ailleurs, notre technologie moderne nous a permis d'aller au-delà de nos limites sensorielles en multipliant la puissance de nos sens; pensons au télescope et au microscope, par exemple.

La représentation d'un corps par nos sens (l'intuition chez Kant) renferme donc la manifestation de quelque chose, soit la manière dont *nous* sommes affectés par cette chose. Cette image ne constitue pas une simple apparence, elle dépend d'une réalité indépendante de nous. Pourtant, cette représentation n'est pas l'objet réel lui-même; si elle dépend de la présence de cette réalité, elle n'existe que pour nous, humains, et uniquement grâce à notre capacité de représentation.

Kant affirme plus. L'idée même d'objets dans l'espace et dans le temps, du moins notre manière de comprendre ainsi notre milieu, provient de notre vision humaine, et non d'une réalité objective. Nous comprenons l'univers comme un espace vide qu'occupent des objets qui persisteront dans la durée, mais peut-on faire autrement? Il semble que non. La biologie et la psychologie modernes ont confirmé ce trait de génie de Kant: l'esprit humain se forge un espace tridimensionnel et le jeune enfant découvre que cet espace est intelligible s'il le lie, dans la succession et la durée, à ceux qui l'ont précédé. Sans vision, sans mémoire, un être intelligent construirait une tout autre conception de l'univers. La physique moderne a aussi montré qu'il existe d'autres espaces, non euclidiens*, qui expliquent mieux certains phénomènes comme la gravitation. Certains espaces ont quatre ou cinq dimensions, d'autres permettent à des droites parallèles de se rencontrer, et ainsi de suite. D'où ce remarquable commentaire de Kant, dans la *Critique de la raison pure* :

> *Si nous faisons abstraction* de notre sujet, ou même seulement de la nature subjective de nos sens en général, toute la manière d'être et tous les rapports des objets dans l'espace et dans le temps et même l'espace et le temps disparaissent, puisque, en tant que phénomènes*, ils ne peuvent pas exister en soi, mais seulement en nous. Quant à ce que peut être la nature des objets en eux-mêmes et abstraction faite de toute cette réceptivité de notre sensibilité, elle nous demeure tout à fait inconnue.*

Le mouvement n'existe pas hors de l'intelligence. Quand vous visionnez un film, vous voyez des personnages se déplacer à l'écran, pourtant il s'agit de vingt-quatre images fixes qui se succèdent chaque seconde. Un nombre moins élevé d'images accélérerait ce mouvement. De même, la distance d'un objet n'est pas un résultat immédiat de la sensation visuelle, mais une déduction de l'esprit.

Philosophes rationalistes et chercheurs en sciences conclurent que notre représentation sensorielle du monde est humaine et non objective, qu'elle se contente d'exprimer dans les limites de notre capacité à la comprendre certaines propriétés d'une réalité différente de nos sens. Nous pouvons même dépasser cette image sensorielle avec notre intelligence et raisonner cette réalité dont nous n'atteindrons jamais l'«intimité» si je puis dire. Même si nous ne saurons jamais exactement ce qu'est la matière, cette dernière demeure la référence ultime. C'est cette capacité de nos sens et de nos raisonnements à la représenter qui dicte la vérité ou la fausseté de nos perceptions et théories. Voilà en quoi consiste le credo de la modernité*.

II - Les idées concrètes et abstraites

Notre situation dans le monde est en résumé la suivante: notre esprit est composé de nos pensées qui sont dans notre tête; notre corps se transporte dans l'espace et le temps; nous percevons des phénomènes que notre intelligence comprend et dont parfois elle ajuste l'apparent déroulement; et moi, les autres et tous les objets de ce monde sommes constitués d'une matière inerte, c'est-à-dire sans vie, qui est la cause de la vie. Berkeley accepte cette description à un détail près: *le monde est dans l'esprit**, et non le contraire. Farfelu? Laissons-le s'expliquer.

Commençons par le commencement. Mon esprit est l'expression de ma présence au monde. Si je meurs, le monde disparaît. Pour moi, bien sûr. «Je pense, donc je suis», affirmait Descartes; «je vis, donc l'univers existe», serait la formulation de Berkeley. De quoi l'univers de l'esprit est-il formé? De pensées ou d'idées. Les «premières» ou les plus simples sont mes sensations et perceptions. Si je meurs, elles disparaissent. Sans esprit, ces idées concrètes*, comme il les appelle, ne subsistent pas. La caractéristique principale de ces idées est qu'elles sont vivaces, constituées de couleurs, odeurs, sons ou douleurs, peu importe. La seconde caractéristique de ces idées ou pensées est qu'elles sont involontaires. Je ne peux pas voir blanc ce qui est rouge, même en me concentrant, cela déborde mon vouloir. Un ensemble d'idées perçues et liées forme un objet perçu.

Pour Berkeley, tout ce que je perçois est pensée, aussi vivaces et concrets que soient ces couleurs, odeurs, textures ou sons, présents à moi. Si nous modifions le système de perceptions d'un individu, nous modifions ce qu'il perçoit. Une perception plus pauvre engendre des sensations moins précises, tout comme la folie nous fait moins bien raisonner. De poser en contre-argument que les perceptions sont du domaine du corps ne mène nulle part car ce «corps» est lui-même un ensemble de perceptions, c'est un objet perçu. De même un système de perception est un ensemble d'objets perçus. *Nous n'échappons jamais à l'univers des perceptions.* Si nous avions un sens de plus, nous aurions plus d'idées, nos objets perçus seraient plus évolués.

Comprenons-nous bien. Les couleurs devant moi, les sensations de ma peau, les sons à mes oreilles *sont* des pensées *dans* mon esprit. Là réside le premier obstacle à la conception de Berkeley: en conclure que si les perceptions sont des pensées, si les objets sont des pensées, alors il me serait possible, en pensant autrement, de changer l'univers. Faux. Nous sommes habitués à croire que les objets demeurent tels quels parce qu'ils sont extérieurs à notre pensée et résistent à nos actions. Pour Berkeley, c'est que les objets sont un assemblage d'idées involontaires*. De même, mon corps est *l'idée involontaire que j'ai de moi.* Pourquoi mon esprit a-t-il besoin de se faire cette idée ou cette perception de soi est une question à laquelle nous nous attarderons plus loin. Donc, si les premières pensées qui habitent mon esprit sont ces pensées concrètes qui entretiennent des liens entre elles sans que je puisse modifier ces liens, il m'est impossible de penser mes sensations autrement que comme je les pense actuellement. Nous acceptons aujourd'hui que notre intelligence soit construite sur des règles logiques et que les phénomènes de l'univers soient dictés par des lois rigoureuses, Berkeley fait de même. Si j'existe, mon esprit est empli de pensées concrètes involontaires qui forment ce que nous appelons l'univers concret. Mon esprit est ainsi fait que si j'existe, je pense de telle manière. Si je sors de la pièce où je suis, elle disparaît de ma vue, et si j'y retourne, elle réapparaîtra (sera pensée) comme avant.

Mon esprit produit aussi des images composées au moyen de ces pensées concrètes. Ainsi, je peux fermer les yeux et *imaginer* un zèbre avec une tête de lion. Je peux aussi rêver à des situations qui ne correspondent nullement à mes perceptions, quand mon esprit «oublie» sa pensée d'elle-même (mon corps) et ses pensées concrètes (comme dans le sommeil). De plus, mon esprit est capable de produire des idées abstraites*, qui sont des idées perçues simplifiées que j'ai la liberté de construire à ma guise. Donc, je peux généraliser ou abstraire une pensée concrète; par exemple passer de l'idée concrète d'une branche de chêne à celle, plus générale, d'un morceau de bois.

Pour Berkeley, un objet, et plus généralement une chose, est un assemblage de qualités sensibles qu'on résume dans ce terme de «chose*». Si ce feu réel (feu perçu, une idée concrète) est différent de l'idée de feu (représentation du feu, une idée abstraite), sa perception (perception de chaleur, de couleurs) et la douleur ressentie sont en nous. Elles sont causées par ce feu concret, jamais par l'idée générale de feu. C'est le langage qui stimule ces généralisations. Un terme général désigne indifféremment un certain nombre d'idées particulières: différents feux deviennent des occurrences de l'idée générale de feu. Mais, remarque Berkeley, un terme devient général, non comme le signe d'une idée générale*, mais simplement de plusieurs idées singulières qu'il désigne indifféremment de leurs particularités. Il n'y a pas d'idées abstraites dans la nature ou l'esprit, mais des généralités issues de cas particuliers résumés. Quand nous raisonnons sur un triangle en géométrie, ce triangle n'est qu'un objet général. En travaillant sur lui, je ne fais qu'ignorer les particularités des triangles concrets, isocèles ou rectangles, par exemple.

Berkeley s'oppose à Platon en affirmant qu'il n'existe pas d'idées générales abstraites. Même dans la sphère hautement intellectualisée de la géométrie, nous raisonnons sur les théorèmes en usant de lignes concrètes (il en est de même quand nous écrivons). Nous nous familiarisons avec ces idées générales au prix d'un long apprentissage. *Elles ne sont donc pas des connaissances premières.* D'ailleurs, les idées abstraites sont confuses quand elles sont tirées de leur contexte concret. Que sont le temps ou le bonheur *en général?* (Qu'on se rappelle les difficultés de Socrate au chapitre précédent.)

III - L'esprit et la critique de l'idée de matière

L'esprit est d'abord empli de perceptions, des pensées involontaires, puis de pensées volontaires, moins vivaces. Il comporte aussi une rigueur de penser, des règles déduites de l'observation des pensées involontaires, nos règles logiques de déduction. Bref, l'esprit n'est composé que d'idées qui ont leur source dans les pensées concrètes, les perceptions. Toutefois l'esprit n'est pas une idée mais un contenu d'idées, et il est apte à raisonner. L'esprit n'est saisi que par son action, il ne peut être perçu. L'idée que j'ai de moi comme perception est mon corps, pourtant cette pensée est contenue *dans* mon esprit. Là réside le second obstacle à la compréhension de la théorie de Berkeley. Si nous avons l'impression que notre esprit est dans notre corps, dans notre tête plus précisément, c'est que *l'ensemble de mes idées origine de l'idée que j'ai de moi*, normal quand on est au centre de son monde. Si je suis actuellement attablé devant mon ordinateur en train d'écrire, ce point de vue est celui par lequel mon esprit pense son existence, car il ne peut faire autrement, cette manière d'exister est involontaire. Il demeure que *si je n'étais pas un esprit pensant, rien de cela n'existerait.*

Admettons, mais les objets persisteraient pour les autres êtres humains. Berkeley est entièrement d'accord avec cette supposition, mais avec une réserve. Quand nous parlons de ces objets, nous nous référons à des objets perçus. Parler d'objets, c'est parler d'objets perçus, c'est simplement résumer un ensemble de perceptions dans le mot «objet». Tout objet est un objet perçu, donc un objet pensé. Que je cesse d'être esprit et tout disparaît, que je pense et tout réapparaît tel quel, *car il s'agit d'idées involontaires.* Cette remarque ne suffit pas en elle-même à dissoudre nos doutes quand à la persistance des objets hors de notre esprit particulier, mais constitue le premier pas d'un raisonnement qui va nous permettre de résoudre l'énigme de la stabilité de nos pensées involontaires (l'univers). Bref, *aucun objet ne peut exister sans un esprit pour le penser*. À moins qu'il n'existe une matière inerte, indépendante de notre existence bien sûr, hypothèse dont Berkeley va montrer l'invraisemblance.

Si je commence ma réflexion à partir de mon existence, alors je suis un esprit qui pense et les objets sont les idées concrètes de mon esprit, idées qui existent uniquement sous forme d'êtres perçus. Il en va ainsi de l'idée de moi: mon corps. Donc, exister, c'est soit être une pensée, soit être un esprit pensant et percevant. Une réalité ou un objet non pensant n'entre pas dans une de ces catégories, et ne peut donc pas exister. On ne trouve aucune intuition d'une matière inerte dans l'inspection de notre existence: la réalité objective des philosophes et physiciens est une idée absurde. D'ailleurs, remarquera Berkeley, même si j'accordais une existence à de tels objets, j'ignorerais tout d'eux, car ils seraient inaccessibles à mon esprit puisque ce ne sont pas des idées !

Il existe dans mon esprit des pensées particulières sur lesquelles il faut s'attarder. Si j'ai une idée (représentation) de moi, elle ressemble à d'autres objets perçus qui paraissent aussi manifester la présence d'esprits pensants: les autres êtres humains. J'en déduis donc qu'il existe d'autres esprits pensants et que *nous accédons à l'esprit des autres par l'intermédiaire de l'idée que nous avons de nous et d'eux, nos corps*. Ces autres esprits humains semblent avoir des idées concrètes, des perceptions involontaires pareilles aux miennes. Quand nous dialoguons, entrons en contact par nos perceptions, les résultats de nos pensées s'accordent. J'existe aussi comme pensée concrète (corps) dans l'esprit des autres humains que je rencontre.

Bref, nous vivons dans un monde concret, le même que celui des physiciens, mais ce monde est contenu dans chaque esprit. Et ce que nous appelons «les faits objectifs» ne sont que les pensées que contient *normalement* tout esprit humain. C'est là tout ce que je peux déduire du fait que j'existe comme esprit pensant. D'assumer l'existence indépendante d'objets non pensants hors des esprits est non seulement gratuit, mais inutile et injustifié.

IV - Dieu ou l'esprit qui pense des esprits

Néanmoins je peux imaginer que l'humanité disparaisse, et pourtant l'ordre de l'univers resterait le même. L'existence d'objets inanimés assurerait l'explication de cette régularité, mais nous ne disposons plus de cette hypothèse. Nous pourrions rétorquer que c'est là la condition d'existence des humains et que ce que je conçois en dehors de tout être humain existant, c'est la possibilité de son existence. Berkeley va plus loin, il fait intervenir l'élément divin.

Dieu est un esprit pensant, objectif et infini (qui s'est pensé lui-même). Parmi ses pensées existent les esprits humains. *Dieu est l'être capable de pensées pensantes par elles-mêmes, mais qui, elles, sont incapables d'en créer à leur tour.* Les esprits humains sont finis, l'esprit divin est infini. Ces esprits humains existent dans le contexte de l'esprit divin et ont une manière déterminée de penser. Bref, Dieu n'est pas une hypothèse supplémentaire, la matière inerte, oui. Nous serions donc des bulles spirituelles en interaction entre elles, chacune en son monde, étant présentes les unes aux autres par l'instermédiaire de l'idée de soi qu'est notre corps, toutes pensées à l'intérieur d'un esprit infini qui nous aurait conçues ainsi.

Il serait tentant d'éliminer d'un même trait l'hypothèse de Dieu, de cet esprit infini, en posant que l'ordre des choses pensées involontairement constitue la base commune à tout esprit humain, et que son évolution est celle de nos pensées collectives. Mais les réponses aux objections qui vont suivre nous interdisent cette simplification.

V - Quelques objections

À cette surprenante mais fort belle théorie s'opposent plusieurs objections, certaines sérieuses, d'autres issues d'une mauvaise compréhension. Examinons ces dernières et réservons les premières pour la section critique.

Objection 1: Cette théorie affirme-t-elle que je peux passer à travers un mur si je le veux vraiment ?

Réponse: Non. Toute action humaine engendre une série de perceptions, or ces pensées concrètes ou senties sont involontaires. Si j'essaie de passer à travers un mur, je vais me cogner à sa surface et me faire mal. Il m'est impossible de «vivre» (de penser concrètement) autrement.

Objection 2: Si je frappe Berkeley, il sera bien forcé d'admettre mon existence ?

Réponse: Oui, mais il serait plus simple de lui parler. Comme la pensée de notre propre existence résulte d'un ensemble de pensées concrètes (mon corps et ses actions possibles), entrer en contact avec quelqu'un revient à introduire ces pensées concrètes et à les partager avec lui (être perceptible pour lui). Mais chacun peut exister en ma pensée, et moi en la leur, *uniquement* en tant qu'objets perçus (ce sera aussi le cas de l'*en-soi* et du *pour-autrui* sartriens). L'esprit d'un autre ne peut être contenu dans le mien (sauf durant la gestation chez la femme), à moins d'inclure dans cette théorie des phénomènes paranormaux. Seul Dieu, ou un esprit apte à penser des esprits pensants, pourrait comprendre en son esprit un être humain. Si je frappe Berkeley, un point de contact entre son esprit et le mien se forme en tant que pensée concrète ou perception. Nous percevons chacun ce coup donné à notre manière en l'accueillant dans notre esprit. On peut en déduire qu'une partie des pensées involontaires qui habitent mon esprit sont causées par d'autres esprits.

Objection 3: Si j'anesthésie mes perceptions, alors je ne pense plus ?

Réponse: Oui et non. S'il est de la nature de mon esprit d'accéder à plusieurs pensées involontaires par d'autres pensées similaires (percevoir par l'intermédiaire de mon corps), agir sur mon corps empêchera d'autres pensées de se produire. Par analogie, si je raye certains théorèmes de la géométrie, d'autres théorèmes ne me seront plus accessibles.

Objection 4: Si mes perceptions sont des pensées involontaires, alors leur organisation est dictée à l'avance. Donc, comment se fait-il que je puisse avoir des illusions et des hallucinations?

Réponse: Parce que rien dans la théorie de Berkeley n'empêche que des pensées involontaires brouillent le déroulement de ma pensée. Ce que nous appelons une substance hallucinatoire revient pour Berkeley à accepter volontairement l'introduction de pensées concrètes incontrôlées qui vont perturber mon esprit. De la même manière, un dérèglement des fonctions cérébrales (la logique des idées involontaires) explique la folie. Bref, pour Berkeley, ce monde où nous vivons et les lois qui le régissent sont toujours aussi vrais, mais proviennent de pensées involontaires et non d'une présence non pensante inaccessible.

Objection 5: Mais si les objets existent quand je ne pense pas et même après ma mort, où existent-ils?

Réponse: Ils persistent en Dieu. Si la base de ma pensée est un univers de perceptions dont je ne peux altérer l'ordre et si je suis un esprit pensé par un esprit supérieur, c'est lui qui assure cette permanence, et non moi. Mon existence ne crée pas l'univers, pas plus qu'un code génétique ne crée l'être humain. Mon esprit est empli de l'ordre de l'univers.

Objection 6: Mais si l'existence de la matière est de conception naturelle, alors pourquoi la rejeter?

Réponse: Parce qu'elle est inconséquente et inutile, ce que nous avons tenté de démontrer aux sections II et III. Notons qu'il est naturel d'être au milieu de son univers et de se confondre avec l'idée que nous avons de nous (notre corps). Ce n'est que lorsque l'esprit s'éveille qu'il saisit sa situation précise et devient apte, non seulement à éliminer ses fausses croyances, mais à saisir d'où elles proviennent.

Objection 7: Si mon corps est la perception, l'idée involontaire que j'ai de moi, comment se fait-il que mon cadavre persiste après ma mort?

Réponse: J'ai longtemps cru que cet argument portait un coup fatal à la théorie de Berkeley, jusqu'au jour où la remarque d'une étudiante me fit modeste. Parce que si nos pensées involontaires sont partagées, cet espace de pensées communes appartient en propre à Dieu, ce créateur d'esprits pensants. Les raisons qui font persister mon corps (cette idée de moi) malgré ma disparition appartiennent au fonctionnement de cet esprit créateur et non à moi uniquement.

Objection 8: Les idées raisonnées qui fondent la science nous éloignent de Dieu, les objets forment la seule donnée commune à tous nos esprits. La réalité décrite par la recherche scientifique remplace nos croyances. Science et rationalité produisent des vérités qui se passent d'un esprit divin. Alors, pourquoi Dieu nous éloignerait-il de lui?

Réponse: Parce que la science et la raison humaine découvrent librement, au-delà des perceptions, comment fonctionne l'esprit divin. Mais comme il nous est impossible de concevoir un esprit dont certaines pensées vivraient d'elles-mêmes (un dieu créateur d'êtres humains), nous nous sécurisons en présumant un monde composé de matière inerte. Certains ont prétendu que croire en un dieu nous sécurisait devant la mort, mais la croyance en une matière indépendante de la pensée agit dans le même sens. Notre orgueil nous empêche d'accepter de ne pas pouvoir comprendre une pensée infiniment plus puissante et créatrice que la nôtre. Que la pensée humaine puisse se projeter dans un temps où elle n'existait pas, où la vie même était absente, que des robots sortis de l'imagination humaine puissent raisonner mais non percevoir, ces limitations représenteraient, pour Berkeley, les limites de la raison humaine. Les lois qui régissent le comportement des objets (la régularité de nos pensées involontaires) sont simplement la constatation que certaines idées sensibles en suivent d'autres. Nous ne forgeons pas ces lois, nous les observons, qu'elles soient manifestes ou déduites. *Il n'existe aucune connexion nécessaire entre nos idées involontaires dans leur constitution même*, mais certaines agissent sur d'autres ou se présentent en même temps que d'autres. Nous observons les lois naturelles, la science ne peut faire plus.

VI - Synthèse

L'être humain est un esprit pensant, et une grande partie du déroulement de ses idées est dictée par un esprit créateur. Il peut devenir conscient de son existence comme esprit, ce qui semble le distinguer des autres formes de vie. Il possède une autonomie de pensée qui lui permet d'en modifier le cours, de créer des pensées abstraites qui l'aideront à comprendre, dans le cadre de ses moyens limités, le cours de la pensée créatrice qui l'a conçu. Il peut entrer en contact avec d'autres esprits par le partage de pensées concrètes, ses impressions sensorielles.

La mort serait causée par notre disparition progressive dans l'esprit divin, mais il s'agit d'une pure spéculation. De même, nous ne pouvons que spéculer sur le sens de la vie en général. Outre les régularités que nous pouvons déduire dans nos impressions sensorielles, il nous est loisible de réfléchir sur notre existence grâce à la raison et à notre capacité à imaginer et à abstraire. Par elle, nous engendrons les connaissances et institutions qui nous permettent de mieux coexister. Là réside notre liberté d'agencer des pensées concrètes, seul ou collectivement, dans ce lieu commun que nous appelons la société.

VII - Critique

Il devrait maintenant apparaître évident qu'on ne peut piéger l'immatérialisme de l'évêque Berkeley. La réponse que sa théorie donne à la science nous ramène au point de départ: il est plus simple d'accorder nos théories à une réalité matérielle inaccessible que de supputer la psychologie du Dieu créateur. Sauf si, un jour, nous devions admettre ne pouvoir expliquer la vie et la pensée sur cette unique base matérielle.

Par ailleurs, un aspect délicat de cette théorie immatérialiste est la nécessité et la capacité pour les esprits, humains ou autres, de consommer d'autres esprits. Que les voies du Seigneur soient impénétrables ne me semble pas une réponse satisfaisante à l'existence d'une chaîne alimentaire qui n'est plus le fait d'une froide réalité, mais l'œuvre d'une pensée infinie.

Pour terminer, remarquons que la révolution copernicienne a montré que la Terre tournait autour du Soleil et que notre point de vue «naturel» était une prise de position relative qu'il fallait corriger afin de rendre objectivement la situation réelle afin d'admettre être en mouvement même si nous ne le percevions pas directement. De même, Berkeley s'appuie sur l'existence subjective afin de construire un raisonnement où la matière est inutile. Mais rendre compte de notre existence en dehors de notre subjectivité fait apparaître cette matière objective aussi imperceptible de prime abord que le mouvement de la Terre. On peut y voir une leçon d'humilité à recevoir: la limite à toute introspection philosophique*. La matière inerte ne serait pas superflue, elle serait le prix de l'objectivité.

Exercice

Qu'est-ce que faire un enfant dans la théorie de Berkeley? Quel pouvoir cela accorde-t-il aux esprits humains vivant dans un esprit divin? (Voir l'objection 2). Un esprit peut-il contenir un autre esprit? Quelles sont les conséquences d'un avortement?

Comment justifier que nous mangions des êtres vivants? Et que penser du cannibalisme? Berkeley est-il une justification au végétarisme?

Médiagraphie

BERKELEY, George: *L'immatérialisme*, Textes choisis, PUF, 1961.

Dédaigneux des jeux d'estime : Rousseau

3

Rousseau et Locke

La grande famille

> L'homme naturel est un animal; l'homme tel qu'il veut être, tel qu'il veut que soit l'autre pour que lui-même le reconnaisse pour son égal, *doit* être raisonnable.
>
> ÉRIC WEIL

Jean-Jacques Rousseau, libre penseur et citoyen de Genève, fut un grand voyageur. Il laissa cinq enfants à l'assistance publique, à la suite d'une dispute familiale. Sa critique de la vie sociale semble décrire un mariage aux obligations trop lourdes. Esprit curieux et indépendant, dédaigneux des jeux d'estime, il se peut qu'instruit de cruelles expériences il ait profité de ses erreurs et déceptions pour en tirer leçon. Rousseau vit à une époque de soif de liberté, le XVIIIe siècle, où plusieurs combats polémiques sont menés contre la pensée autoritaire et l'arbitraire politique, une époque où le discours des sens rivalise avec celui de la raison. D'ailleurs, Rousseau est grandement influencé par la pensée anglo-saxonne qui cherche ses sources dans le quotidien. Par celle de John Locke surtout, dont nous suivrons la logique naturelle, nous permettant d'éliminer l'idée du prince, principe inutile de l'esprit naturaliste* de Rousseau. Et aussi par la pensée de Thomas Hobbes (1588-1679), à laquelle il s'oppose le plus souvent.

I - L'être perfectible

L'âme humaine fait de nous plus qu'une machine complexe; elle nous procure aussi la liberté d'agir. Devant les sensations, l'être humain cède ou résiste. Ce qui distingue l'humain de la bête c'est précisément cette liberté, la capacité de se perfectionner (sa perfectibilité*), d'où l'apparition d'une histoire humaine.

Si l'être humain règne sur les animaux et agit sur la nature par son travail, c'est qu'il compense les faiblesses de son corps au moyen de son intelligence et des outils qu'il fabrique. Mais cette ingéniosité peut engendrer le meilleur ou le pire. Cette perfectibilité a fait progresser les humains, mais les a dénaturés. Rousseau va nous raconter une histoire où il sera question d'amour de soi et de pitié, sentiments perdus dans la multitude, puis retrouvés dans un *contrat social** pour tous et dans une saine éducation pour chacun.

II - Le monde merveilleux de mère nature

Rousseau imagine les débuts de l'humanité comme ceux de l'enfant éduqué naturellement, à l'image d'une société de chasseurs-cueilleurs qui vit au jour le jour, puisant les fruits d'une nature abondante et généreuse. Il ne s'agit pas d'une société au sens moderne, mais bien d'un simple regroupement d'individus. Au départ, le primitif vit seul, sans jalousie ou animosité, solitaire et sans langage. Ses rencontres sexuelles sont fortuites, et les enfants quittent leur mère à l'adolescence. Peut-être même les parents ne reconnaissent-ils plus leur progéniture après un certain temps. Non par absence d'humanité, simplement parce qu'un être autonome ne dépend pas des autres et ressent à leur proximité une gêne à sa liberté. Que ce début de l'humanité soit fictif, illusoire même, importe peu, car chacun peut imaginer qu'il vivrait ainsi au paradis terrestre.

Le primitif possède l'amour de soi. Par ce terme, Rousseau entend non pas ce sentiment narcissique et égocentrique qui rend nos concitoyens méprisables et sans cœur, mais bien un instinct de conservation non agressif, une tendance à s'occuper de son bien-être plutôt qu'à être sous la responsabilité des autres. Cet amour de soi amène à être autonome, à ne pas dépendre des autres, une prétention parfois irréalisable dans nos sociétés industrielles; pensons ici au chômage. Ce primitif n'est donc ni bon ni méchant, mais amoral car sans vices ni vertus. Il ne se juge pas par les yeux des autres. On l'imagine plutôt sympathique, allant à la rencontre d'autres humains, en autant que cela soit agréable et fortuit.

Et puis, il aime vivre. D'ailleurs, Rousseau se demandera «si jamais on a ouï dire qu'un sauvage en liberté ait seulement songé à se plaindre de la vie et à se donner la mort». Il ne dépend pas d'autre chose que de la nature, car il ne possède rien. Aussi ne comprendrait-il pas nos clôtures et nos coffres, notre manie d'acquérir, nos contrats et nos ententes judiciaires ou amoureuses. Les peuples les plus près de l'état de nature sont les plus paisibles dans leurs amours, remarque-t-il, faisant allusion aux habitants des Antilles. Alors, pourquoi avons-nous choisi la vie en groupe et le sacrifice de notre liberté? Pourquoi le primitif a-t-il fui son jardin? Parce que des événements incontrôlables, des catastrophes naturelles l'ont poussé à se socialiser et à dépendre des autres. Alors se sont imposés entre les êtres humains des rapports d'utilité. Ce fut le prix de la sécurité. La faiblesse de l'homme le rend sociable, nos misères communes nous portent à nous rapprocher les uns des autres.

Si l'être humain est sociable par nature, il ne peut l'être que grâce à des sentiments innés. De notre relation avec les autres naît la conscience du bien. Nous n'avons pas de connaissance innée du bien, mais aussitôt reconnu, notre conscience nous porte à l'aimer. *C'est ce sentiment qui est inné*, et non les attitudes morales qu'il suscite. Il existe donc des sentiments universels préalables aux raisons qui nous amènent à nous regrouper. Quels sont-ils?

D'abord l'amour de soi, avons-nous dit, ce sentiment qui nous pousse à chercher le bonheur. Puis l'amitié, ce sentiment de reconnaissance de soi dans ses semblables. L'amitié serait donc préalable à l'amour. Sinon, dit Rousseau, le simple désir du corps ferait obstacle à la constatation que l'autre aussi possède un amour de soi. Ce ne serait plus de l'amour, mais une simple impulsion animale qui rendrait l'être inhumain. Une fois ces deux sentiments présents, un troisième surgit: la compassion pour les malheurs d'autrui, soit la pitié. L'être humain répugne à voir souffrir les autres car il se projette dans l'autre, reconnu comme humain. La pitié est donc un sentiment naturel qui, modérant l'amour de soi, favorise la conservation de l'espèce. Notre tendance naturelle n'est pas de nous mettre à la place des gens plus heureux que nous, mais plutôt à la place de ceux qui sont à plaindre. On ne se met pas à la place d'un riche, on convoite ses richesses. Ce sont les maux qui affligent les autres, et dont on ne se croit pas exempt soi-même, qui nous affectent. Cette pitié à l'égard d'autrui ne se mesure pas en quantité, mais au sentiment qu'on prête à ceux qui souffrent. Pour comprendre le malheur, il faut le faire sien.

En conséquence de ce qui précède, l'éducation consisterait à favoriser chez les jeunes gens l'épanouissement de ces sentiments dans l'observation de la nature, de la nature humaine en particulier. Dans *Émile ou De l'éducation*, Rousseau nous montre comment devrait être éduqué un jeune homme prénommé Émile, un orphelin justement. L'auteur insiste sur un point fondamental: Émile doit d'abord être traité comme un enfant, et non comme un adulte en miniature. Il doit apprendre par lui-même, prendre ses leçons de la nature, non de la raison déductive et abstraite, sans mémorisation imposée. Éduquer c'est mener l'élève à maturité, à travers ses sensations. Le résultat? Émile

> *ne dit jamais un mot inutile, et ne s'épuise pas sur un babil qu'il sait qu'on n'écoute point. Ses idées sont bornées, mais nettes; s'il ne sait rien par cœur, il sait beaucoup par expérience. Ainsi, n'attendez pas de lui des discours dictés, ni des manières étudiées, mais toujours l'expression fidèle de ses idées et la conduite qui naît de ses penchants.*

Et les femmes? Alors que les philosophes anglais, Locke en tête, s'interdisent de pénétrer dans le domaine du privé, Rousseau n'hésite pas à y entrer. Sophie sera éduquée naturellement elle aussi, selon les «inclinaisons de son sexe». Nous y reviendrons.

III - Tous pour un et un pour moi

À travers la pitié, le malheur d'un ami devient une menace pour moi et me rend prévoyant. Combiné à cette capacité de l'âme à dire non aux sensations, cette préoccupation au sujet du futur force le cueilleur à investir une partie de sa récolte: il devient agriculteur. De même, le chasseur attend que ses proies enfantent avant de les abattre: il devient éleveur.

Quand l'homme abandonne la cueillette pour l'agriculture, il doit investir et accumuler le fruit de son travail; la terre qu'il a défrichée devient sienne. Chez Locke, nous verrons que justice et droit furent conçus afin de protéger la propriété privée*. Le travail du bois, puis celui des métaux feront de même, un produit durable engendrant le désir de possession. Pourquoi nos ancêtres lointains ont-ils abandonné leur existence idyllique? Probablement par souci de s'assurer contre des lendemains incertains. Cette assurance d'un futur prévisible eut des conséquences radicales sur la vie des générations futures:

> *Le premier qui, ayant enclos un terrain, s'avisa de dire: «ceci est à moi», et trouva des gens assez simples pour le croire, fut le vrai fondateur de la «société civile».*

> *De la culture des terres s'ensuivit nécessairement leur partage, et de la propriété une fois reconnue les premières règles de justice: car pour rendre à chacun le sien, il faut que chacun puisse avoir quelque chose.*

Assez simple pour le croire? Il y a plus dans cette reconnaissance qu'un simple acquiescement naïf. Locke montrera qu'il y a une justification à réclamer la possession des objets que l'on travaille. Il faut mentionner qu'à l'époque de Rousseau un seul homme régnait sur *toute* la France, son roi.

Et l'histoire suit son cours. Une histoire où apparaît la famille, où le père fait travailler ses enfants, lesquels dépendent de lui. Survient alors un changement dans la manière de subvenir à ses besoins. De nouvelles commodités sont produites, et l'être industrieux crée même de nouveaux besoins; confort, élégance, mets élaborés et divertissements, dont la privation est ressentie avec douleur comme si l'essentiel manquait. Les sédentaires, mieux nantis, attirent à eux les plus démunis. Des rapports sociaux durables s'installent entre les humains et des inégalités sociales les distinguent dorénavant dès la naissance, imposant une inégalité historique des droits de chacun. La richesse et le rang sont maintenant maîtres du sort du nouveau-né. Ils déterminent non seulement ses biens et son pouvoir, mais aussi son éducation et son esprit; beauté, force, adresse et intelligence deviennent la propriété des nobles, des gens bien nés. Aussi faut-il «les avoir ou les affecter». Certains perdent leur liberté naturelle dans la servitude: les seigneurs et les nobles, les propriétaires terriens puis les propriétaires de manufactures. Pourtant, s'il existe des gens nés dans la condition d'esclave, c'est que l'histoire humaine a d'abord permis qu'il y eût des esclaves, ce qui va contre la nature. Les liens de la servitude se tissent dans la dépendance mutuelle. Il est impossible d'asservir un être sans l'avoir d'abord mis en état de dépendance, *ce qui n'existe pas en état de nature**.

Le progrès des arts et des sciences, de la civilisation et du langage a corrompu l'être humain. Il a fait de lui un ennemi ou un objet de possession pour ses frères. «Chacun commença à regarder les autres et à vouloir être regardé soi-même, et l'estime publique eut un prix.» De nouveaux sentiments, comme la vanité et le mépris, la honte et l'envie, apparaissent. Si le progrès est inhérent à la vie sédentaire, parce que les gens ont le loisir d'approfondir leurs techniques de travail, ce progrès leur procure aussi richesse et rang. La vie en société amène à comparer sa réussite avec celle du voisin, d'où l'orgueil. De l'absence des objets que l'autre possède naît la jalousie. De constater sa richesse procure l'amour-propre, qui remplace l'amour de soi, mais elle est sujette à l'évaluation des autres. Entre être et paraître se crée un fossé. Alors certains usent d'artifices, hypocrisie et faux-semblant devenant de mise.

L'apparition de la propriété privée suscite ressentiment et jalousie à cause de cette nouvelle possibilité de se comparer à plus riche que soi. Ainsi sont nés nos péchés *capitaux* (les italiques sont un clin d'œil à Marx). Bien sûr, Rousseau ne croit pas au péché originel des chrétiens. Si la douloureuse expérience quotidienne nous rappelle la méchanceté de l'homme, c'est qu'il vit en société et s'abaisse devant le pouvoir de l'argent. Nos péchés capitaux furent d'abord des qualités. Demandons-nous ce qu'ils sont vraiment (clin d'œil à Lorenz). La gourmandise? L'aptitude du primitif à ingurgiter de grandes quantités de nourriture s'il a l'occasion d'engraisser en vue des jours de famine. L'avarice? Une tendance naturelle à conserver ce dont il n'a pas immédiatement besoin pour les jours de nécessité. La luxure? Une tendance naturelle au plaisir qui le pousse à bien manger et à procréer. Et ainsi de suite.

IV - Le contrat social

Était inscrit entre les lignes de cette histoire un contrat, un aboutissement historique à ce voisinage industrieux des êtres humains. D'abord parce que le plus fort ne l'est jamais assez pour demeurer toujours le maître, il lui faut transformer sa force en droit, d'où ce «droit du plus fort». Boèce demandait comment on pouvait accorder quelque puissance à un homme incapable d'empêcher qu'un autre ait fatalement sur lui ce même pouvoir qu'il exerce sur d'autres. La force étant une puissance physique, aucun principe moral n'en découlant, il fallait inventer un droit de raison qui limite le droit de possession, démocratise l'accès au pouvoir législatif et universalise la portée des lois. Si la pitié et la commisération sont fondées sur une identification à l'autre dans l'état de nature, ce n'est absolument pas le cas de l'état industriel où l'opposition d'intérêts, le profit réalisé aux dépens des autres, la quête d'argent sont maîtres. Cet état engendre des ambitieux à qui la société profite. Si les humains ont entre eux des inégalités naturelles, celles dont profite le plus fort sont devenues sociales, elles doivent devenir *politiques*, conventionnelles. L'établissement de lois est d'abord un passage du droit du plus fort au droit du chef. C'est pourquoi *les formes de gouvernement tirent leur origine des différences plus ou moins grandes entre les particuliers au moment de l'institution de ces gouvernements.*

Ce passage de nature à culture n'est pas fatalement négatif, l'être humain étant perfectible. Le pouvoir des chefs diminuant, l'être humain peut libérer son avenir en passant de l'*état de nature* à un *contrat social*. Notre liberté sociale toute moderne, qui semble si «naturelle» de nos jours, n'existait pas avant la promulgation des droits des citoyens tels qu'on les spécifie, par exemple, dans les déclarations étasunienne et française. De la comparaison incessante des citoyens entre eux devait germer le projet d'abolir les inégalités sociales en établissant une égalité de raison. *Ne restent donc que les conventions pour servir de base à toute autorité légitime parmi les humains.* Dès le XVIIe siècle, cette idée se matérialise dans la politique anglaise, mais c'est lors de la Révolution française que l'humanité prend soudain conscience que «liberté, égalité et fraternité» peuvent être les fondements de la vie collective. C'est chez Locke que nous en retrouvons l'expression la plus claire. La nature y remplace Dieu comme fondement de la vie. On y pose une définition légale de l'état de nature et de la propriété privée.

a) La propriété privée

La nature est commune à tous, mais le travail que j'y exécute m'appartient. Imaginons un territoire sans possesseur que des explorateurs viennent de découvrir. Ainsi, un pommier rencontré dans un champ n'appartient à personne, pourtant la pomme que j'y cueille m'appartient. Pourquoi? Parce que j'ai transformé l'état de nature en la cueillant. Celui à qui j'offrirais cette pomme n'aurait plus à la chercher, ni même à se rendre à ce pommier pour l'obtenir. Ma pomme contient *une économie de temps et d'énergie*. Le droit de propriété ne repose pas à l'origine sur l'acquiescement naïf d'autrui, mais sur un droit fondamental: toute action qui déplace, aménage ou transforme un état de nature ou un bien déjà légitimement acquis, appartient en toute légitimité à celui qui a accompli ce labeur. *Le travail humain justifie la propriété des fruits de ce travail.* Ce principe est à la base du droit naturel.

Ce principe de légitimité de la propriété sur les fruits de son labeur demande quelques clarifications. Si celui qui en vole un autre exécute un «travail», celui-ci n'est effectué ni sur un état naturel ni sur un bien légitime. De plus, il ne suffit pas de vouloir, par exemple, défricher des champs pour pouvoir se les approprier. Il faut pouvoir exécuter ce travail. Ainsi, aucun agriculteur nord-américain au XIXe siècle ne pouvait prétendre labourer des centaines d'hectares de terrain en friche. De même, celui qui cultiverait plus qu'il ne peut consommer s'approprierait illégitimement un terrain aux dépens d'un autre et le déposséderait potentiellement de son droit naturel à labourer. Plus généralement, la nature ne *devrait* pas servir à s'enrichir, mais à combler les besoins de qui la travaille.

Il y a donc des limites à notre droit à la propriété privée. Ce sont les limites de notre capacité de travail, les limites de nos besoins de consommation et le respect de ce qui appartient déjà à un autre. *Il est clair que, dans les sociétés industrialisées de production de masse**, *ce droit naturel est désuet.*

b) L'état de nature

Qu'est-ce que l'état de nature? C'est l'état premier dans lequel est plongée l'humanité naissante, un état où chacun doit protéger soi-même ses possessions, y compris son propre corps, contre quiconque voudrait le léser. Aucune loi ni corps judiciaire n'y exerce son influence. Nul n'a autorité sur ses semblables. Quiconque est pris à violer la possession d'autrui sera réprimandé par l'individu lésé, qui devient à la fois policier, juge, partie plaignante et bourreau. La «loi naturelle» qu'on applique est le plus souvent la loi du talion: «œil pour œil, dent pour dent».

Cet état pose problème. On y est rarement bien défendu par soi-même. Ceux qui vivent dans l'illégalité savent se grouper pour voler les autres. Sans compter que l'objectivité du juge n'est pas assurée. L'individu lésé aura tendance à se montrer trop sévère, surtout sur le coup. Des peines comme une amende ou un emprisonnement sont impossibles. Alors, l'industrie humaine se développant, les êtres humains concoctèrent l'idée d'un ordre social* fondé sur un contrat passé entre eux.

c) L'ordre social

En quoi consiste ce contrat? Chacun doit abdiquer son droit de se protéger et de se rendre justice au profit du pouvoir législatif. Ce pouvoir est exercé par des personnes élues qui établissent et font appliquer les lois.

Ces lois et ces personnes ont pour mission de protéger les propriétés privées de chacun, de manière à ce que, s'unissant aux autres, les individus restent libres.

Ce pouvoir de protéger tous et chacun est remis à des particuliers, mais jamais pour leur intérêt personnel. Un politicien ne peut concevoir une loi qui lui permettrait de s'approprier personnellement le bien des autres ou encore qui favoriserait certains individus aux dépens des autres. On exige de nos décideurs qu'ils se dégagent de leurs intérêts économiques pour gouverner et on traite de corruption toute action qui nuirait à l'anonymat des lois et à l'objectivité des élus d'un parlement. Le droit de propriété privée des citoyens est sacré et inviolable.

Le pouvoir des législateurs est révocable, seul le peuple étant souverain. Si un représentant élu ne remplit pas son mandat, il peut être chassé. De plus, ce pouvoir est toujours temporaire et doit subir le test des élections. Et ces élus ne peuvent en désigner d'autres pour gouverner à leur place. En revanche, ils peuvent déléguer à d'autres un pouvoir exécutif. S'il est préférable de laisser les plus âgés réfléchir à la justice, il est souhaitable qu'il soit appliqué par des citoyens plus jeunes et plus vigoureux. C'est ce pouvoir que constituent dans nos sociétés modernes la police et le milieu carcéral.

Cet ordre social établi, chacun perd sa liberté naturelle et son droit d'action illimité à l'initiative, mais chacun gagne une liberté civile: l'assurance de conserver la propriété de tout ce qu'il possède. Voici quelques précisions.

Les régimes politiques non démocratiques ne sont pas des applications de l'ordre social. Ainsi, en monarchie, les citoyens demeurent en l'état de nature devant le roi. Si le monarque enfreint les lois, les citoyens doivent se défendre eux-mêmes.

Ce contrat social ne modifie en rien les inégalités en ce qui a trait au génie, à la force ou à l'adresse, ou même à la richesse de ses participants, mais assure que tous sont égaux devant la loi. Les lois protègent les riches, se plaint-on souvent. Les lois protègent la propriété privée: plus vous êtes riche, plus vous êtes susceptible d'être lésé de vos biens, plus grand est votre recours à la justice pour tous.

Les pouvoirs législatif et exécutif sont d'abord des pouvoir passifs, ils n'interviennent qu'à la demande des citoyens (ce qui s'avérera douteux dans nos sociétés complexes où les sphères législative et économique s'amalgament). Dans des circonstances particulières, un citoyen pourrait ne pas pouvoir recourir à la protection de l'État. Alors, il devient lui-même le pouvoir exécutif et recouvre son droit de se protéger. Cela se nomme la légitime défense.

Après que les citoyens des nations se furent regroupés sous un contrat social, il ne restait qu'à établir un ordre similaire entre les nations. Celles-ci demeuraient en état de nature entre elles, se faisant justice elles-mêmes, causant le massacre d'individus par milliers sans que ces derniers en sachent les raisons le plus souvent. Avec l'institution de l'Organisation des Nations unies en 1945, la guerre est devenue illégale, avec pour conséquence la constitution progressive de la grande famille humaine.

Du sauvage au civilisé, puis au citoyen, l'évolution aboutit à son terme. Comparons-les chacun selon quelques facettes mentionnées par Rousseau:

le sauvage	*le civilisé*	*le citoyen*
perfectible	individualiste	collaborateur
amour de soi	amour-propre	amour de l'humanité
pitié	indifférence	responsabilité sociale
besoins	intérêts égoïstes	intérêts collectifs
égalité naturelle	inégalités sociales	égalité sociale
inégalités naturelles		inégalités naturelles

V - Et la femme?

Plusieurs conceptions de l'*homme* sont fidèles à leur titre. Dans *Émile ou De l'éducation*, après avoir décrit comment le jeune homme parvenait à maturité grâce à une éducation naturelle, Rousseau le met en situation amoureuse: il rencontre Sophie (livre V). Voilà l'occasion de poser les différences dites naturelles entre hommes et femmes, et de montrer comment l'éducation féminine devrait se faire. En gros, l'homme butine un moment et la femme assume la responsabilité du résultat. On trouve dans ces lignes, sous le couvert d'une observation dite naturaliste, les préjugés sexistes les plus courants et les plus frappants de la pensée masculine, principes soutenus par de nombreux philosophes.

> *En tout ce qui ne tient pas au sexe, la femme est homme: elle a les mêmes organes, les mêmes besoins, les mêmes facultés; la machine est construite de la même manière, les pièces en sont les mêmes.*

Si les distinctions entre les deux sexes ne tiennent qu'aux organes de la reproduction, on en remarque d'autres, note Rousseau, qui ne paraissent point y tenir de prime abord. Pourtant, par des liaisons que nous sommes hors d'état de jauger, nous pouvons observer que les différences anatomiques évidentes étendent leurs ramifications jusqu'à influencer la morale et la psychologie. Dans ce qui suit, jamais notre libre penseur ne mettra en doute le caractère naturel et non culturel de ces traits féminins. Mesdames, ce qui suit pourrait vous choquer, à juste titre d'ailleurs, Rousseau étant effrayant de naïveté sexiste. Je tiens à souligner que la déduction «naturelle» de cet enfant terrible est présentée à titre d'exemple d'errance culturelle chez des penseurs illustres. Voyez-y une dénonciation humoristique... et ne tirez pas sur le messager!

«Dans l'union des sexes chacun concourt également à l'objet commun, mais non pas de la même manière.» Si le but naturel de la copulation est de produire des enfants, cette tâche exige de la part des partenaires des obligations et des attitudes fort divergentes, remarque Rousseau. Examinons-les.

D'abord, l'homme est actif et fort, la femme passive et faible: «Il faut nécessairement que l'un veuille et puisse, il suffit que l'autre résiste peu.» Il s'agit d'une contrainte physiologique de l'acte sexuel, à laquelle correspondrait une disposition de caractère.

Donc, si la femme est faite pour plaire et être dominée, elle doit se rendre agréable à lui et non le provoquer: «Sa violence à elle est dans ses charmes; c'est par eux qu'elle doit le contraindre à *trouver sa force et à en user.*» D'ailleurs, remarque Rousseau, si l'entreprise a des conséquences si différentes pour les deux sexes (la grossesse), il est naturel qu'ils n'aient pas la même audace à s'y livrer.

Rousseau en déduit une autre conséquence. Le désir ne viendrait aux femmes qu'avec le besoin. Celui-ci satisfait, le désir cesserait: une fois enceinte, elles repoussent leur mâle: «Même quand elles sont libres, leurs temps de bonne volonté sont courts et bientôt passés; l'instinct les pousse et l'instinct les arrête.»

Mais en donnant à l'homme des penchants sans mesure, la nature lui donne du même coup une raison pour les dominer. Aux désirs illimités de la femme, la nature a joint la pudeur pour les contenir. Voilà pourquoi l'homme est raisonnable et la femme pudique, voire prude. «La femme n'a pas comme nous la faculté de poursuivre au grand jour l'accomplissement de ses vœux. Aussi la pudeur est-elle chez vous la barrière infranchissable qui garde les secrets de votre cœur.» (Balzac, *Ursule Mirouet*)

La recherche des vérités abstraites des sciences, l'étude des idées générales ne seraient pas du ressort des femmes, leur éducation devant être pratique. Toute réflexion d'une femme, en dehors de ses devoirs, doit viser l'étude des hommes ou des connaissances agréables qui n'ont que le goût ou le cœur pour objet. «La femme a plus d'esprit, et l'homme, plus de génie; la femme observe, et l'homme raisonne.»

La conséquence de l'acte est telle pour la femme que tout chez elle lui rappelle son sexe. Il lui faut une constitution apte à enfanter. Il lui faut du ménagement durant sa grossesse; du repos dans ses couches. Elle a besoin d'une vie calme et sédentaire pour allaiter ses enfants. Finalement, afin de bien les éduquer, de la patience, de la douceur, un zèle et une affection infatigables.

De plus, si un mari infidèle prive sa femme du *seul avantage* «des austères devoirs de son sexe», la femme infidèle fait pire, elle dissout la famille. En donnant à un homme des enfants qui ne sont pas à lui, elle en trahit deux, le géniteur et le père. «Il n'importe donc pas seulement que la femme soit fidèle, mais qu'elle soit jugée telle par son mari, par ses proches, par tout le monde; il importe qu'elle soit modeste, attentive, réservée, et qu'elle porte aux yeux d'autrui, comme en sa propre conscience, le témoignage de sa vertu.» Pas un instant Rousseau ne réfléchit au fait que l'homme adultère sait ce qu'il fait et qu'il en connaît les conséquences possibles. Pas plus qu'il n'imagine autre salaire pour une femme que l'usage temporaire d'un pénis!

Les femmes doivent donc se montrer dociles toute leur vie, puisqu'elles ne cessent jamais d'être assujetties à un homme, et aux jugements des hommes. La première et la plus importante qualité d'une femme est la douceur: faite pour obéir à un être aussi imparfait que l'homme, plein de vices et de défauts, elle doit apprendre de bonne heure à souffrir l'injustice et à supporter les torts de son mari sans se plaindre. Rousseau donne ce conseil à la femme battue:

> *L'aigreur et l'opiniâtreté des femmes ne font jamais qu'augmenter leurs maux et les mauvais procédés des maris, ils sentent que ce n'est pas avec ces armes-là qu'elles doivent les vaincre. Le ciel ne les fit point faibles pour être impérieuses; il ne leur donna point une voix si douce pour dire des injures; il ne leur fit point des traits si délicats pour les défigurer par la colère.*

> *Certaines femmes nous accusent de les éduquer à être vaines et coquettes, remarque Rousseau, que nous les amusons sans cesse à des puérilités pour rester plus facilement maîtres elles. Mais, rétorque-t-il, depuis quand sont-ce les hommes qui se mêlent de l'éducation des filles? Qui est-ce qui empêche les mères de les élever comme il leur plaît? Leur fait-on malgré elles passer la moitié de leur vie à leur toilette? Est-ce notre faute si elles nous plaisent quand elles sont belles, si leurs minauderies nous séduisent, si l'art qu'elles apprennent de vous nous attire et nous flatte, si nous aimons à les voir mises avec goût, si nous leur laissons affiler à loisir les armes dont elles nous subjuguent?*

> *Voyez, écrit encore Rousseau, une petite fille passer la journée autour de sa poupée, lui changer sans cesse d'ajustement, l'habiller, la déshabiller cent et cent fois, chercher continuellement de nouvelles combinaisons d'ornements bien ou mal assortis, les doigts manquent d'adresse, le goût n'est pas formé, mais déjà le penchant se montre; elle attend le moment d'être sa poupée elle-même.*

À cela, Voltaire réplique dans *L'Éducation des filles:* «Ma mère m'a toujours regardée comme un être pensant dont il fallait cultiver l'âme, et non comme une poupée qu'on ajuste, qu'on montre, et qu'on referme le moment d'après.»

VI - Synthèse

L'être humain est un être indépendant, doté de sentiments, qui peut parfaire sa condition grâce à des outils, dans une société injuste mais elle aussi perfectible.

L'être humain est un animal perfectible. Cette possibilité d'évoluer nous procure en mieux les avantages que les animaux obtiennent naturellement. La liberté est un état naturel chez les êtres humains, de même que certains sentiments comme la pitié et l'amour de soi. C'est notre conscience qui permet de comprendre ces sentiments. Chez Rousseau elle est morale et son fondement est notre capacité à comprendre les malheurs d'autrui, à les ressentir comme pouvant être les nôtres.

L'amour n'est rien d'autre qu'un élan naturel non possessif ni exclusif entre hommes et femmes. Toutefois ses conséquences sont nettement plus contraignantes pour la femme, d'où les différences d'éducation et de comportement entre les hommes et les femmes. Mis à part leur sexe, hommes et femmes sont identiques. Sauf que, et Rousseau l'avoue, la détermination sexuelle et ses conséquences couvrent la vie entière des femmes : «Le mâle n'est mâle qu'en certains instants, la femelle est femelle toute sa vie, ou du moins toute sa jeunesse» (*Émile*).

L'amitié est le fondement de l'amour, hors sexualité, qui nous fait reconnaître l'autre pareil à nous. Rousseau exclut donc toute forme de discrimination, raciale ou autre.

Nos connaissances et nos institutions sont le résultat de notre perfectionnement. Ils ne sont pas nécessaires et créent des hiatus entre les humains, des clôtures, établissant entre eux des relations de dépendance (le salaire et le chômage, par exemple). Tout comme chez Marx le visionnaire, ces effets négatifs devraient disparaître à long terme par l'établissement d'un contrat social entre tous les êtres humains.

VII - Critique

Les critiques qu'on pourrait adresser à Rousseau ou à Locke sont de natures diverses.

D'abord, même des sociétés de cueilleurs peuvent posséder un territoire de cueillette, aussitôt que la population a envahi tout le territoire fertile. Ce sentiment d'appropriation semble aussi naturel, sinon plus même, que la pitié. Comme l'a compris Locke, l'instinct de propriété n'est pas une séquelle néfaste de la perfectibilité de l'être humain. Si l'homme naît bon et perfectible, c'est pour devenir meilleur et non pour recréer rationnellement sa condition première après une chute dans le monde de la possession.

Alexis de Tocqueville, aristocrate et fonctionnaire de la République française, parcourut l'Amérique, observant la démocratie mise en place au Nouveau Monde. Il fut effrayé du pouvoir des foules et charmé par la propension des Nord-Américains à s'associer en groupes de protestation. De toute évidence, faire valoir la volonté du peuple est un exercice dangereux pouvant mener à la plus absolue des dictatures. Tempérer cette volonté par la sagesse d'un prince, comme Locke l'explique, revient à briser l'ordre social. Tocqueville prédit avec justesse que ce seraient les grandes industries qui joueraient ce rôle. La justesse de sa prédiction vous rassure-t-elle? Et comment assurer cette démocratie? Rousseau n'en dit rien.

Le problème le plus épineux pour Rousseau, autant que pour Locke, est l'existence de la production en série, car elle transgresse notre individualité et crée des liens de dépendance si forts que même dans la plus libre et la plus démocratique des sociétés, certaines tares que Rousseau attribue aux sociétés non démocratiques, non seulement persisteraient, mais seraient même constituantes de la société industrielle. Pensons au paraître, à la dépendance ouvrière, aux comparaisons entre voisins. Le fétichisme de la marchandise* que dévoile Marx semble plus inhérent à notre condition que voudraient l'admettre les penseurs d'avant l'industrie moderne.

VIII - Rousseau et les penseurs contemporains

À partir du chapitre suivant, nous allons aborder des conceptions nées de la réflexion de penseurs et chercheurs des XIXe et XXe siècles. Ces derniers reprendront d'une manière approfondie divers thèmes abordés par Rousseau et Locke. Si ces penseurs et chercheurs ne se sont pas directement inspirés d'eux, ils ont toutefois poursuivi des intuitions surgies au XVIIIe siècle, époque où, en se libérant des chaînes de la monarchie et de la religion, l'être humain commença une réflexion portant sur son existence et sa nature. S'il fallait inventer une démocratie à la mesure de la liberté et de la fraternité humaines, il fallait préciser ce qu'était cet être dit «humain». Nous verrons comment les conceptions modernes ont puisé dans divers domaines de spécialisation, et comment certains philosophes ont revendiqué l'établissement d'une anthropologie philosophique* indépendante de ces explications. Comment aussi la génétique pourrait «achever» cette prolifération de réponses en un point d'orgue où même l'absurde camusien* (que nous verrons au chapitre 9) nous semblerait léger.

Freud s'attardera à l'enfance et montrera à quel point les enfants imitent le caractère sexué de leurs parents. Il développera aussi les conséquences de cette capacité de résistance à l'appel des sens. L'être qui naissait bon naîtra avec des pulsions hors du domaine de la morale.

Skinner montrera comment se forgent les comportements stéréotypés que Rousseau jugeait naturels : par le conditionnement. Il accentuera la responsabilité sociale dans l'éducation des enfants, et Wilson posera de nouvelles bornes entre l'inné et l'acquis.

En science du comportement animal, Lorenz, à la suite de Darwin, fournira une explication naturelle de la concurrence et de la rage territoriale, niant ainsi l'affirmation selon laquelle, naturellement, les êtres humains ne sont ni possessifs ni territoriaux. Il montrera aussi que la vie en groupe se fonde sur l'établissement d'une hiérarchie entre les individus.

Si Lorenz éclaire l'usage particulier que l'être humain fait des outils selon Rousseau, ainsi que la perte de naturel dont cet usage nous menace, c'est Marx qui examinera le développement technologique, sur la base de la perfectibilité humaine, et qui reformulera en termes économiques la vision de l'histoire porposée par Rousseau. Il donnera un projet politique au combat contre la servitude ouvrière.

Nietzsche mettra l'accent sur ce qui démarque l'être libre de celui qui se livre au paraître dans une société de jaloux. Quant à Sartre, il rejettera l'idée d'un être bon et montrera qu'on n'est humain qu'au regard des autres.

Exercice

D'après Locke, il serait illégitime de posséder des maisons et d'exiger un loyer de ses locataires. Justifiez cette affirmation. Analysez les conséquences de votre réponse pour notre société. Ainsi, quelles lois et dispositions devrions-nous mettre en place afin de rendre illégale la location de logements sans léser personne? Faudrait-il prévoir des exceptions?

Médiagraphie

GALLANT Corinne: *La philosophie au féminin*, éd. L'Acadie, 1984. Un survol et une critique des conceptions masculines en philosophie.

KUBRICK, Stanley: *Barry Lyndon*, film britannique, 1975.

NAERT, Émilienne: *Locke ou la raisonnabilité*, Seghers, Coll. «Philosophes de tous les temps», nº 93, 1973.

NEIL, A. S.: *Libres enfants de Summerhill*, Maspero, 1970.

ROUSSEAU, Jean-Jacques: *Émile ou De l'éducation*, Seuil, 1971.

TOCQUEVILLE, A. (de): *De la démocratie en Amérique*, Flammarion, 1997.

TRUFFAUT, François: *L'enfant sauvage*, film français, 1970.

4

Freud et la psychanalyse

Apprendre à désirer

En 1886, l'écrivain Robert Louis Stevenson (1850-1894) publie, à partir d'un rêve qu'il a fait, le roman *The Strange Case of Dr. Jekyll and Mr. Hyde*, dans lequel le personnage se métamorphose en bête de désir. Pour faire accepter un individu sans verni social, Stevenson doit cacher cette facette du Dr Jekyll dans une autre personnalité; il devient Hyde (*to hide:* se cacher). Il doit aussi justifier la provenance de cette seconde personnalité: elle est due à une potion concoctée par le docteur Jekyll. À l'époque où fut publié ce roman, un personnage possédant une personnalité animale aurait été inacceptable; il aurait supposé des désirs cachés inavouables en chacun de nous. Il fallut un rêve de science-fiction afin que le roman soit accepté.

«Je n'ai pas d'inconscient* moi, je suis une femme honnête» s'écrie une dame indignée quand on lui indique quelles pensées inavouables elle aurait exprimé en rêve. On retrouve la même indignation à la fin du XXe siècle chez les bonnes gens incrédules devant la menace du sida, eux qui se lavent et passent le balai chaque jour. Ces mêmes gens refusaient le passage aux microbes du docteur Pasteur en fermant leurs fenêtres.

Freud montre que dans la période de l'enfance se trouve la clef de la compréhension de l'adulte. L'enfance n'est pas une période magique; l'enfant n'est pas un futur adulte dépourvu de raison. C'est l'adulte qui est un grand enfant, et l'enfant poursuit sa vie en lui. Moi, qui semble parfaitement conscient de moi, je ne suis qu'un personnage forgé à même mes pulsions* enfantines, un personnage en équilibre précaire sur une mer de désirs, un personnage qu'un orage émotif pourrait basculer et remplacer par un autre, le temps que je trouve la sortie des oubliettes. Pour tout vous dire, «je» est un accessoire du théâtre de ma vie.

I - La découverte de l'inconscient

Sigmund Freud pratiqua la médecine en Autriche. Il étudia avec le neurologue Charcot en France, mais c'est le traitement expérimental de l'hystérie par hypnose du Dr Breuer qui semble avoir été déterminant pour son avenir. Le principe découvert est simple: une blessure psychologique entraîne des troubles de comportement quand les événements traumatisants tentent d'investir le champ de la conscience*.

L'exemple que je propose est une expérience que j'ai vécue vers l'âge de douze ans. Cela débute un soir d'été. J'habite un boulevard, près d'une artère commerçante. Il est vingt et une heures passées quand ma mère m'envoie au dépanneur. En traversant le boulevard je me hâte, car une voiture vient à vive allure. Quand l'automobile arrive à l'intersection, le feu passe du jaune au rouge. Au même moment, sur l'artère commerçante, un conducteur décide de ne pas ralentir car le feu passe du rouge au vert. Jaune-rouge et rouge-presque-vert sont une même couleur, celle du sang qui éclabousse les vitres des automobiles. Mais à peine ai-je entendu freiner. Quant au choc de la collision, je n'en garde aucun souvenir. Au milieu de l'intersection, une voiture pivote lentement sur elle-même, tête ensanglantée à chaque vitre. L'autre voiture demeure en équilibre sur ses roues arrière, le devant appuyé contre le mur d'une maison faisant coin de rue, un salon mortuaire de surcroît. Des badauds accourent et restent figés sur place devant le spectacle de la mort, jusqu'à ce que leur nombre transforme l'horreur en potins. Je repars faire mes achats et reviens à la maison où, en réponse à la question de ma mère, je réponds par un laconique «un accident d'auto». Une semaine passe et me voilà à bicyclette en plein soleil de midi sur une artère achalandée, pressé à gauche par la circulation, à droite par les voitures stationnées et les portières qui s'ouvrent sans avertissement. Quelqu'un freine, me voilà aveugle. Noir, tout est noir ! Je reconstruis mentalement ma position, me concentre sur les guidons, interroge mon équilibre. Bref, je recueille toutes les informations pouvant suppléer à ma vue. Dans mon affolement, j'en oublie de simplement arrêter. En dedans une réflexion a cours. La perception du frein s'est engagée dans un complexe significatif* dont le cheminement menace de déterrer des images ensanglantées refoulées dans l'inconscient. D'ailleurs, au moment où j'écris ces lignes, aucune image de cet accident ne me revient, mais une tension nerveuse s'installe dans mon ventre. La solution d'urgence fut somatique*, elle affecta le corps afin de protéger l'esprit, privant le souvenir de sa représentation mentale, supprimant du même coup ma vue. En quelques secondes, ma conscience reprend ses droits et l'artère réapparaît, le soleil, les automobiles, les bruits. Mais pas les images de l'accident.

Tout passe nécessairement par l'inconscient. Toute stimulation qui affecte les sens est absorbée par l'inconscient où elle sera parfois irritante; elle sera dans certains cas transmise à la conscience, parfois refusée par cette dernière. Dans ces conditions, ne devient consciente qu'une partie de ce qui atteint l'individu. La conscience n'est que la partie émergée de l'iceberg qui figurerait l'activité psychologique.

Le fait que la conscience soit surtout rattachée à la vue (plus des deux tiers de l'information visuelle atteignent la conscience) soutient l'illusion que l'information puisse accéder directement à la conscience (Freud parle du système perception-conscience). Nous avons l'impression d'avoir le monde devant nous et de nous intéresser ou non à ses paysages, tournant la tête selon notre bon vouloir, jusqu'à construire notre «vision» de l'univers. Sur ces métaphores visuelles, la tradition psychologique autant que philosophique a longtemps cru que la conscience était l'unique outil apte à tracer le schéma du fonctionnement intellectuel. Le début du XXe siècle va remettre en question ce dogme: la conscience est intermittente. Dans le sommeil, la rêverie ou nos périodes d'inattention, il est possible de remarquer une activité cérébrale qui nous échappe. La psychanalyse va se donner pour mission de décrire cette activité inconsciente.

Il faut bien comprendre ceci : *est inconscient ce qui est inaccessible à la conscience.* Dans le cas de la vision, par exemple, il existe une zone périphérique qui décèle les mouvements soudains et attire notre attention en faisant pivoter la tête. Ce mécanisme de détection et la réaction qu'il engendre sont inconscients et ne seront jamais conscients, même si nous pouvons aussi bouger volontairement notre tête. Plus important encore est que l'ensemble de notre pensée inconsciente influence nos réactions et nos jugements, la «logique» de chacun s'avérant impuissante à justifier les actions exécutées ou les paroles dites par inadvertance, nous semble-t-il. Nous les écartons le plus souvent du revers de la main, les qualifiant de moments d'inattention ou d'étourderie, refusant toute responsabilité: «Cela m'a pris tout à coup, je n'ai pas pu m'en empêcher.»

II - Sonder l'inconscient

Il existe plusieurs comportements et stratégies capables de faire avouer l'inconscient. Certains actes non volontaires témoignent d'une *pré*-occupation de l'inconscient par des irritants non résolus. Un lapsus, un acte manqué, une réaction soudaine ou un tic nerveux se manifestent quand la conscience s'égare en rêverie ou force des attitudes non désirées.

Un lapsus fort connu consiste à remplacer un mot à prononcer ou à écrire par un autre, entendu ou lu. Il arrive que nous pensions à la prochaine phrase en écrivant, ou à l'orthographe d'un terme. Alors, ce terme apparaît sur la feuille, il s'est glissé dans notre agir mécanique. Plus grave est ce lapsus qui substitue le prénom d'un amour ancien à celui de l'être aimé. Dans ce cas, nous supputons que la personne pense à l'autre et non à nous. Plus précisément, qu'au *fond de soi* le souvenir de l'autre *hante* sa pensée. Cette explication est typique de la psychanalyse.

Nous prêtons notre voiture à une connaissance, mais égarons les clés. Gageons que ce prêt allait à l'encontre de notre volonté. Mais amitié obligeant, nous avons accepté et compensé par un acte manqué. Nous blaguons entre amis et soudain quelqu'un s'offusque. Chacun admettra par après que cette réaction était exagérée. Voilà la preuve que cette blague contenait un élément qui, cheminant dans l'inconscient de cet auditeur, a réveillé un souvenir désagréable, dont lui-même ne saurait rendre compte. D'ailleurs, il viendra plus tard s'excuser de ce geste incompréhensible. On pourrait de même expliquer que les tics nerveux expriment une frustration. Des élèves tambourinent du crayon quand leur cours s'allonge indûment, d'autres sucent leur crayon devant le manque d'intérêt de la matière exposée. Leur conscience s'étant relâchée, leurs pulsions insatisfaites montent à la surface, provoquant des satisfactions mécaniques.

L'hypnose est une technique de suggestion visant à provoquer un état de sommeil artificiel. Le sujet sous hypnose peut accéder à ses souvenirs, ressentir des émotions associées à ces évocations, mais il peut difficilement refuser leur émergence. De plus, sous hypnose, un patient peut accéder à des souvenirs de sa prime enfance, exploit impossible pour la conscience. Avant l'âge de trois ans, nous déambulons tant bien que mal sur nos deux jambes, contemplons le monde, sourions, jouons; bref, nous jouissons de la vie. Pourtant, rien ne persiste de ces années, du moins à première vue. Non seulement la régression temporelle sous hypnose fait resurgir les événements cruciaux de l'enfance, mais elle peut dévoiler des secrets inattendus. Par exemple: un individu régressant à l'âge de quatre ans, soit au moment de son adoption, se met à parler une autre langue, sa langue d'origine. L'enfant avait été vendu à un centre d'adoption illégal. Malheureusement, les sujets ne conservent aucune trace des souvenirs ressurgis sous hypnose.

Carl Gustav Jung a mis au point un test d'associations* de termes afin de piéger les raisonnements et préoccupations de l'inconscient. Il consiste en une liste de termes qui varie selon la situation, ainsi qu'en un chronomètre. Au terme proposé, le sujet doit répondre par un autre terme (par exemple: soleil -> chaud), le plus rapidement possible, sans réfléchir. Le chronomètre sert à mesurer le délai de réponse. L'hypothèse à l'origine de ce dispositif est que si un terme pénètre dans l'inconscient et y suscite une signification minimale, la réponse sera non seulement stéréotypée, mais rapide. Par contre, un terme éveillant des souvenirs dérivera vers une préoccupation inconsciente, entraînant un délai de réponse. Plus la préoccupation éveillée sera grande, plus lentes seront les réactions du sujet quand les termes suivants seront proposés. L'individu sera littéralement préoccupé et s'obligera à faire ce que l'informatique appelle du *time-sharing*, soit de partager sa réflexion entre sa préoccupation et la poursuite du test.

Nous pouvons donc quantifier l'importance de nos préoccupations. Ce test nous éclaire déjà sur l'inconscient. Les stimuli qu'acceptent nos sens sont reçus différemment par les uns et par les autres. Si certains épisodes de notre existence ont laissé des cicatrices dans l'inconscient, elles forment l'équivalent d'un tissu urbain, d'un réseau complexe de voies ou d'associations. Qui circule sur une route droite va vite, mais s'il doit s'engager dans le dédale d'une ville précédemment visitée, son allure diminuera sensiblement. Un verre qui se brise se présente sous la forme d'un son clair. Le traitement de cette information sonore aboutit à cette conclusion: un verre s'est brisé. Puis l'information se perd. Mais si la personne concernée a été défigurée par des éclats de verre, ou si la seule personne pouvant avoir brisé ce verre est un jeune enfant, le traitement de l'information se poursuivra, consciemment dans le second cas, inconsciemment dans le premier. Autre cas, le mot «table» pourrait provoquer l'association «table d'opération» chez l'auditeur fraîchement sorti de l'hôpital après une délicate intervention chirurgicale. Le terme aurait trouvé au passage un petit complexe affectif* (un quartier à visiter), notion que nous examinerons plus bas.

Mais c'est surtout dans nos rêves que l'inconscient se dévoile. Aussi Freud affirme-t-il que l'interprétation des rêves est la voie privilégiée menant à l'inconscient. Mais pourquoi rêve-t-on?

On dit que le sommeil est réparateur. Le corps, et particulièrement les tissus musculaires, n'ont besoin que de quelques heures pour se régénérer. La longueur de notre sommeil est essentiellement due à notre dépendance onirique. Le rêve reprend le plus souvent des expériences frustrantes, irritantes ou effrayantes, de la journée ou des jours précédents, les produit dans un théâtre où les acteurs de ces mini-drames sont maquillés. Alors, la conscience peut revivre ces situations, s'avouer des comportements inacceptables et, ce faisant, réduire la tension nerveuse et la préoccupation causées par ces épisodes mal accueillis. L'expérience ressurgit, maquillée par le contenu du rêve, permettant la réalisation déguisée des désirs inavoués et des comportements refoulés, joignant conscient et inconscient dans une production fictive chargée de symboles.

La tension nerveuse créée par des incidents irritants ou par l'inconfort du quotidien est telle que, n'ayant pas cette soupape à sa disponibilité, l'individu pourrait être entraîné vers la folie ou même la mort. Une expérience de suppression des rêves sans priver le corps de repos fut réalisée sur des grenouilles. Dans un bassin d'eau, les cobayes ne disposaient que de petits îlots de liège afin de s'assoupir. Mais, avant que la période de rêve ne débute, il faut que le contact moteur liant le cerveau aux muscles des jambes soit neutralisé, sinon le sujet rêvant qu'il court se mettrait effectivement à détaler. Ce mécanisme protecteur est à l'origine de notre sentiment d'impuissance à marcher dans certains rêves. Sitôt la phase onirique imminente, les pauvres grenouilles se retrouvaient à l'eau. Privées de rêves, elles moururent en peu de temps, le ventre plein et le corps reposé.

Pouvoir décrypter ce maquillage symbolique des rêves nous permettrait de mettre au jour nos préoccupations. Mais la tâche n'est pas facile. Il n'existe pas de catalogue qui associerait symbole et vécu dans un rapport de sens univoque. Les éléments de nos décors sont recyclables et pris dans notre vécu. Voici deux exemples de rêves : le premier fut raconté à Jung par un ami, le second est personnel.

Un homme raconte qu'il marche sur un chemin en compagnie de la femme de son meilleur ami quand, soudain, un serpent sort des hautes herbes et lui entoure la cheville. Le rêve avoue le désir que cet homme entretient secrètement pour cette femme, passion inavouable au regard de l'amitié. L'aveu déguisé se sert d'une figure traditionnelle du désir, le serpent. Ce dernier permet à la pulsion de vivre en rêve tout en effrayant la conscience. Remarquons que cette interprétation s'avérerait grotesque pour celui qui, ayant été surpris dans un pré par un serpent alors qu'il se promenait avec sa sœur, revivrait cette expérience éprouvante en rêve le soir. Nul désir pour sa sœur ne s'y trouverait exposé.

Un des rares rêves que je me rappelle date du temps où j'étudiais en mathématiques à l'université. Mon aptitude à manier des équations était la seule raison qui m'avait entraîné dans ces hautes sphères de l'abstraction quantifiée. De semaine en semaine, gavé de symboles, je me rendais compte de l'absence de cette passion que j'observais chez quelques-uns de mes condisciples. Mais j'écartais du revers de la main ces prises de conscience fugaces. Sauf que le temps ne faisait qu'accentuer mon désintérêt et, doué ou pas, mes notes s'en ressentaient. Un soir, je fis le rêve suivant. Des Romains (à la Jules César) avaient envahi la ville et interrogeaient tous et chacun. Ceux qui étaient jugés utiles avaient la vie sauve, les autres étaient supprimés sans autre forme de procès. Confiant, je me propose comme candidat, moi qui connaît les mathématiques. J'ai deux millénaires d'avance sur eux! Je me place au tableau, exhibe des équations, des analyses de figures géométriques, mais l'enquêteur m'arrête et me donne un problème à résoudre, tâche fort simple car je devine qu'il s'agit de calculer un impôt ou une taxe. L'os, c'est que je ne connais ni l'économie romaine ni la langue! Je demande des explications, je tente de justifier mon ignorance tandis qu'on me traîne vers le lieu de mon exécution et... je me réveille en sursaut. Il avait suffi d'un coup de pouce pour que j'avoue mon manque de sérieux quant au choix de mon futur métier. Dans les jours qui suivirent, j'annulai mon inscription.

Certains rêves sont plus ardus à décoder, les angoisses qu'ils libèrent étant déstabilisantes. Aussi, quoique les rêves présentés ici puissent suggérer le contraire, l'analyse de nos productions oniriques est une tâche laborieuse. Il faut d'abord se rappeler qu'*un rêve n'est pas prémonitoire*, il parle du passé, parfois de conséquences anticipées. Puis, qu'*il nous parle de ce que nous ne voulons pas voir, vivre ou comprendre*; ce n'est pas un message rassurant, conforme aux idéaux de la conscience.

III - Le développement biopsychique

La recherche psychanalytique a permis de mettre en évidence le développement du psychisme* humain fondé sur la construction du conscient: un ensemble volontaire de réactions, partiellement assujetti à un protocole de censure sociale. À chaque composante du psychique sera associé un test la caractérisant. En bref, la mécanique va comme suit : le Ça exécute des tests de plaisir et, par un sevrage qui rend l'individu autonome, engendre un Moi qui produit des tests de réalisation et un Surmoi qui opère des tests de moralité.

a) Le Ça

Un nouveau-né n'est qu'un ensemble de pulsions et de comportements réflexes non individualisés. En ce sens, il n'est qu'une «chose» humaine indifférenciée. Le Ça est impulsif, irrationnel, amoral, asocial, égoïste et jouisseur, sans conscience de l'écoulement du temps. Il ne fait pas la distinction entre l'objet et la satisfaction ou le déplaisir qu'il procure. Il est inconscient, jamais objet pour soi, et donc sans rapport avec le monde extérieur. De fait, il est ce monde: un univers de plaisirs à répéter et d'irritants à éviter. Derrière le Ça, un réservoir d'énergie psychique (tension nerveuse et musculaire) est à sa disposition.

Le Ça exécute des tests de plaisir. Il mémorise les stimulations plaisantes et irritantes en usant de conduites instinctives. Son but est la satisfaction ou l'arrêt immédiat d'un irritant. L'être humain est composé de pulsions internes qu'il doit satisfaire en trouvant un objet de plaisir. Le Ça est une mémoire sexuelle. Le monde des sensations dites «sexuelles» comprend aussi bien les caresses que l'acte d'uriner et tout plaisir corporel qui soulage. Il faut voir comment un bébé réagit intensément aux plaisirs et déplaisirs, *l'adulte, lui, ne peut pas investir autant d'énergie dans ses satisfactions, aussi les ressent-il avec moins de vivacité*. Nous verrons plus loin pourquoi. Le Ça est un ensemble de réponses aux pulsions primitives qui habitent le corps. Téter et pleurer en sont les mécanismes minimaux. La mémorisation du Ça peut être traumatique, en cas d'échec, et former la souche la plus profonde des irritants refoulés dans l'inconscient, couche à laquelle d'autres irritants se grefferont par la suite. Toute situation rappelant la situation enfantine effrayante sera rejetée ou traitée de manière irrationnelle, du moins aux yeux des autres. Dans l'enfance, l'équilibre psychique est précaire et l'individu sans expérience est très impressionnable; il peut être «griffé» par des expériences anodines aux yeux d'un adulte. La mémoire de ces expériences sera inaccessible au futur adulte; pourtant, elle déterminera ses réactions, ses craintes et ses préférences. Freud raconte que l'image utilisée par une patiente afin d'exprimer un profond dégoût était celle d'un chien qui buvait dans un verre. Pourquoi certains individus sont-ils dégoûtés par la vue d'un chien buvant à même un contenant destiné aux humains et d'autres non? Il faudrait aller chercher dans cette mémoire de la prime enfance.

La mémorisation du Ça est inconsciente, inaccessible, ce qui rend la théorie psychanalytique aussi fragile que fascinante. Le Ça de l'être naissant nécessite des soins intensifs parce qu'il est un être humain inachevé du point de vue psychique. L'apaisement des tensions chez le bébé se faisant forcément grâce à l'intervention extérieure d'un «objet», l'image de ces objets satisfaisants (expérience de plaisir) permettra la constitution du désir* chez l'enfant. Quand un besoin ou une pulsion réapparaîtra, le Ça désirera les «objets» ou les gestes mémorisés rattachés à la satisfaction.

On voit quel rôle important joueront les proches de l'enfant, surtout sa mère. Freud expliquera que les problèmes d'hystérie proviennent du fait que l'enfant veut être l'objet de désir de sa mère. Ce faisant, l'enfant mâle en viendra par exemple à rivaliser avec son père, impasse qu'il devra résoudre en s'identifiant au père vainqueur. Freud nomma complexe d'Œdipe* ce dilemme. Si les jeunes enfants ne règlent pas ce désir d'exclusivité affective et ne parviennent pas à s'identifier à la figure adulte, des problèmes surgiront à l'âge adulte, en particulier dans leurs rapports amoureux. Le jeune adulte, dit-on, recherche sa mère ou son père dans ses rapports amoureux.

b) Le Moi

Ces conduites primitives mémorisées sont insuffisantes pour que l'enfant puisse survivre. Un gamin pourrait s'élancer dans le vide pour rejoindre sa mère deux étages plus bas. De plus, qui voudrait avoir des enfants s'ils restaient dépendants toute leur vie? Chaque individu doit apprendre à cueillir soi-même son plaisir, à éliminer les irritants par son travail. Cette autonomie exige de s'adapter et de maîtriser une réalité extérieure à soi. L'autonomie de vie exige donc de se savoir exister, de pouvoir dire: «Ceci est moi.» Ce Moi se forme par l'éducation, le plus souvent parentale. Cette éducation s'appuie sur le principe du sevrage.

En supprimant progressivement l'aide ou le plaisir, mais en proposant une nouvelle avenue afin de l'obtenir, les adultes vont développer et polir les outils primitifs de l'enfant et le rendre apte à se satisfaire à son gré. Ce peut être en l'obligeant à utiliser une cuillère, en donnant de l'affection en récompense d'un travail exécuté, ou encore en offrant une allocation contre une chambre propre. En posant des obstacles à la satisfaction, le sevrage oblige l'enfant à assumer ses responsabilités tout en découvrant de nouveaux plaisirs et irritants. Alors, une partie du Ça prend conscience de soi, établit une distinction entre soi et l'univers des objets, entre les objets et les plaisirs ou déplaisirs qui s'y rattachent. Ce faisant, cette portion du Ça devient individualisée et consciente: c'est le Moi. Il se base sur les modèles de Moi qui existent autour de lui, père et mère en particulier.

Le Moi se forme au moyen du système de perception qui en constitue le noyau et se reconnaît dans le monde extérieur comme corps. Il se saisit alors comme objet dans l'espace. Grâce à la parole, les processus internes, tels imaginer ou réfléchir deviennent eux aussi des perceptions. Le langage agit à la manière d'une forme d'attention ou de mémoire. Nous sommes dans le langage comme dans notre corps, affirmera plus tard Sartre. Ici, le miroir de soi est composé des sons que nous produisons. Nous prononçons mentalement les mots en lisant afin d'avoir une situation mentale à observer, processus qui ralentit grandement la lecture. Le sujet qui prononce mentalement est cette partie consciente d'elle-même: le Moi. Nous ne savons pas si des animaux sont capables d'une telle présence à soi.

Le Moi est un médiateur issu de la confrontation de l'organisme avec la réalité. Il peut temporiser les élans du Ça jusqu'à l'apparition d'une situation pouvant satisfaire correctement la pulsion. Le Moi exécute alors des tests de réalisation. Ainsi, l'enfant empruntera l'escalier pour rejoindre sa mère; l'adulte attendra d'être dans un restaurant pour dîner plutôt que de se bourrer de bonbons. Un exercice qui développe le Moi, présent aussi chez les mammifères évolués, consiste à jouer. Le Moi peut trouver le plaisir dans la fantaisie et le ludique tout en jouant sa vie dans des tests qui peuvent être refaits à volonté. Un luxe que le quotidien permet rarement.

Avec le Moi apparaît un délai de gratification. À la place de traces durables qui menaient à la satisfaction, le Moi pose des voies temporaires, remplaçables. Pouvoir suspendre la réponse au désir jusqu'à ce que survienne la situation correcte et acceptable peut sembler un exploit anodin, pourtant, c'est l'arme qui démarque l'humain de l'animal. Comme chez Rousseau, *cette capacité à temporiser la satisfaction ou à supporter une irritation sur de longues périodes de temps a permis la constitution des sociétés, la conservation et l'évolution des outils et des codes de comportements sociaux. C'est cette capacité du Moi qui a créé l'histoire.* Le Ça et le Surmoi sont les sédiments d'un passé propre à chacun avec lesquels le Moi négociera son futur.

Il y a donc remplacement d'une expérience de plaisir immédiat par une action motrice qui va transformer la réalité. L'énergie dont dispose le Ça se lie dorénavant à des objets précis pour le Moi, ce qui assure une satisfaction tenant compte des contraintes de l'entourage. Par sa capacité à inhiber la pulsion, le Moi empêche que l'image de l'objet satisfaisant soit trop intense. *Ce sont donc des représentants des pulsions et des désirs qui sont parfois repoussés ou maintenus dans l'inconscient et non les désirs eux-mêmes.* L'homosexuel prend son semblable comme objet de plaisir. Ce n'est pas sa manière de désirer qui est différente de celle de l'hétérosexuel, mais plutôt les objets associés à son désir qui diffèrent.

L'accomplissement d'un désir inconscient va plus loin que la satisfaction des besoins vitaux et que la conscience qu'il nous manque ou que nous voulons quelque chose. La recherche de plaisir continue à régner sur l'activité inconsciente. Le Moi s'occupe de vérifier si une tentative de satisfaction peut être effectuée immédiatement ou si elle doit être ajournée. Parfois même, il s'agit de juger cette pulsion dangereuse ou répréhensible, et de la réprimer. Les pulsions sexuelles en particulier demeurent le domaine privilégié du principe de plaisir, alors que celles qui visent à l'autoconservation s'ajustent rapidement à la réalité. Les premiers «objets» de désir ne sont pas découverts par le Moi, ils ont souvent subi la censure du sevrage, d'où l'interdit. Une partie du moi serait donc inconsciente, car les premières manifestations de cette censure ne sont pas accessibles à la conscience. Mais, en même temps, elles peuvent s'associer à d'autres objets que peut envisager le Moi, d'où la volonté de transgression. Chez l'adulte, ce jeu s'exprime dans les formes du désir. L'éclatement en objets diminue l'intensité du plaisir et la motivation à le rechercher. L'amour raisonnable, la volonté de réussir, le jeu ou le sport diluent l'intensité «sexuelle» des satisfactions que ces comportements procurent; ils ne sont plus premiers.

c) Le Surmoi

Sevrages et tabous* qui accompagnent l'apprentissage du désir influencent aussi la formation du Surmoi. En s'identifiant aux parents, principaux acteurs de cet apprentissage, l'enfant assimile leurs interdits. Le Moi se forge un idéal qui constitue une portion du Surmoi, élément sur lequel nous nous concentrerons maintenant.

Les tests de réalisation du Moi ne sont pas tous acceptables dans une société. Une personne ayant besoin d'argent pourra songer à frapper quelqu'un et à lui vider les poches; le projet est parfois aisément réalisable. Les influences parentales, morales ou judiciaires adaptent le Moi à la réalité sociale en fournissant à l'individu une *image négative ou positive de lui* à la suite de certains choix ou certaines conduites. Cette pression à sélectionner ou rejeter certaines solutions agit à la fois *en moi* et *sur moi*.

Le Surmoi est l'intériorisation* de l'autorité et des normes parentales. Le Surmoi se forme donc à l'image de celui des parents et exécute des tests de moralité. La solution choisie sera jugée acceptable ou non au regard hypothétique d'autrui. La réponse du Surmoi fait irruption dans la conscience sous forme d'un sentiment de fierté, de culpabilité ou d'infériorité, entre autres. Le traitement dont résulte ce sentiment est inconscient et affecte le Moi sous la forme d'une irruption émotive qui s'impose, d'où son nom: «sur moi». Les relations au Surmoi sont ressenties par le Moi comme des aises ou des malaises. Le Surmoi semble comporter un Moi idéal*, inconscient, qui répondrait parfaitement aux attentes des pressions parentales ou sociales, un idéal inaccessible qui tourmenterait les êtres qui transgressent les interdits des adultes. Un Surmoi trop puissant peut immobiliser l'individu qui se sent toujours ridicule comparé à ce jugement trop critique de ses actes. Les animaux les plus évolués seraient capables d'éprouver des sentiments de culpabilité ou de fierté, mais il est douteux que de tels sentiments puissent provenir d'un idéal. Précisons que le Moi et le Surmoi semblent se forger en coexistence. Le plus souvent nos premiers souvenirs d'enfance sont des situations où un jugement du Surmoi, ressenti avec vivacité, s'impose à nous et force un regard sur soi étranger à l'univers du Ça.

Le Surmoi nous oblige à une précision que certains trouveront contestable. L'individu qui renonce à agresser autrui parce qu'un policier est à proximité abandonne un projet irréalisable. C'est le Moi qui est en cause (ceux qui affirment que le Surmoi est en cause concluront qu'une portion du Surmoi est consciente). Si l'individu écarte l'idée d'agression parce qu'un sentiment de malaise l'envahit, c'est que son Surmoi est intervenu. Le travail du Surmoi est inconscient, seule sa conclusion a atteint la conscience. Nous ne connaissons pas notre programmation morale ni ne pouvons esquisser notre Moi idéal. Bref, si le Surmoi juge, c'est le Moi qui accuse réception de ces sentiments d'aise et de malaise et vit avec les contraintes qu'ils provoquent. Un conducteur attendant le feu vert, seul la nuit, sera peut-être tenté de passer outre à l'interdiction du feu rouge. Certains éprouveront un malaise en y pensant. D'autres rejetteront ce malaise et agiront, sous prétexte qu'enfreindre la loi dans ces circonstances est affaire de bon sens.

Parfois, le Moi n'écoute pas le Surmoi sur le moment, mais accuse réception du jugement par la suite. Cela s'appelle le sentiment de culpabilité. Que Caïn se cache où il voudra après avoir tué Abel, l'œil de Dieu le retrouvera, car il symbolise cette culpabilité que Caïn s'avoue enfin, une fois l'acte commis (ce sera la figure du criminel blême chez Nietzsche).

Finalement, soulignons que le Surmoi n'est pas le porte-parole de la bonne conscience sociale. Il n'est pas plus adapté aux exigences sociales que ne le sont les interdits des parents et des autres adultes. Ainsi, une femme disait ressentir une très forte excitation en passant des marchandises aux douanes sans les déclarer. Cette activité illégale bénigne lui rappelait les encouragements de ses parents quand, petite, elle chapardait de la nourriture dans un camp de concentration japonais. Cet exemple illustre la seconde fonction du Surmoi, la recherche de ressemblance à un Moi idéal, forgé à partir de l'estime parentale. Ici, une impression de fierté ou de mauvaise estime de soi jaillit de la comparaison avec le modèle idéal que le Moi s'est forgé inconsciemment.

*IV - Complexes affectifs et refoulements**

Le Moi est un personnage construit et conscient, en négociation avec les urgences et les pressions du Ça, avec les jugements du Surmoi et les contraintes de la société. Cette conscience n'est qu'une portion de l'être humain, une portion construite de surcroît, qui, dans des circonstances exceptionnelles, peut sombrer dans l'inconscience et être remplacée par un substitut, parfois convaincu d'être authentique et absolu.

Le Moi est un complexe affectif normal selon Jung, la seule portion du psychique dotée d'éléments conscients. Autonome, libre et unique, il est l'instance qui détermine les actes individuels. Proposons à un auditoire des couleurs, des sons, des odeurs, des images ou des mots. Ces stimuli ne provoqueront pas tous une réaction. Tels individus seront sensibles à certaines couleurs, des odeurs rappelleront à d'autres un événement passé, un mot fera jaillir un souvenir chez quelqu'un. Le fait que des stimuli particuliers engendrent des réactions différentes chez chacun, que certaines personnes s'y attardent, revient à dire que leur réception dans l'inconscient a éveillé un complexe affectif, à la manière d'un véhicule qui se retrouve à l'entrée d'un échangeur routier.

Ce que nous appelons notre personnalité serait constituée de cet assemblage de liens significatifs, notre mémoire émotionnelle, forgée dans l'expérience quotidienne. Le Moi est un complexe affectif sain, car ses réactions lui permettent de survivre dans la collectivité. «Sain» n'équivaut pas à «correct» ou à «bien»; un prêtre, un comptable ou un criminel ont chacun leur manière de fonctionner en société. Ce complexe n'apparaît pas non plus entier à chaque moment de notre vie. Nous ne sommes pas tout à fait nous-mêmes au travail, en famille ou dans l'intimité. Il semblerait souhaitable que nous puissions être le même partout et dans toutes nos relations humaines, mais cet idéal n'a aucune assise théorique solide.

Le Moi ne règle pas tout, il laisse des expériences de vie inachevées. Certains événements ou les pressions du Surmoi l'obligent à «amener du travail à la maison», celui que traitent les rêves. Dans ces cas-là, il y a refoulement de certaines pensées, de souvenirs ou images dans l'inconscient. Le refoulement est un processus aveugle où l'on ne choisit pas ce qui sera censuré, la sélection dépend le plus souvent d'épisodes traumatisants de l'enfance. Ce mécanisme de défense permet d'éviter des conflits internes ou l'apparition d'émotions ou de réactions incontrôlables. Là est rangé l'inacceptable. Même si le contenu réprimé retient sa vivacité, il n'est pas mort pour autant. Ces portions réprimées du vécu exercent une pression constante sur la conscience. D'où les tics, rêves et autres symptômes dont nous parlions d'entrée de jeu. Le refoulement nous fait «fermer les yeux» et former un complexe affectif secondaire. Ce sont surtout les tendances sexuelles et jouissives qui sont touchées, car elles sont une menace pour l'ordre familial et social. Notre société nous incline à choisir un partenaire unique, de l'autre sexe, dans un rapport idéalement éternel. Toute fantaisie sexuelle, toute curiosité sera vue comme une perversion ou un comportement désaxé. Promenez-vous parmi des adultes un *Playboy* à la main, ou pire un vidéo pornographique, et observez la réaction des gens. Pourtant, ces produits sont en vente libre en autant que vous ayez l'âge requis.

Ces complexes affectifs issus de la répression et des «coups de griffes» de la vie sont *des noyaux affectifs, attirant la pensée et les stimuli, réveillant des situations incompatibles avec l'attitude consciente.* Dans le cas du refoulement d'une expérience importante ou d'une large portion du vécu, le complexe forgé alors devient un corps psychique aliéné et autonome qui tente de rivaliser avec le Moi pour habiter la conscience. Ce complexe réussit parfois à faire basculer son rival dans l'inconscience et à prendre momentanément sa place.

Prenons un exemple fictif. Un jeune enfant vit une garde partagée, passant d'un parent à l'autre. L'attitude de la mère et celle du père diffèrent radicalement, l'obligeant à scinder son Moi afin de répondre de manière satisfaisante à chaque parent. Après quelque temps, l'enfant n'est plus élevé que par sa mère et le père disparaît de sa vie. À l'âge adulte, l'individu pourrait avoir occulté dans un complexe affectif inconscient cette portion de sa vie incompatible avec son Moi dans son entourage maternel. Qu'arriverait-il si cet individu se retrouvait dans une situation traumatisante, où pourtant ce complexe refoulé s'avérerait apte à résoudre la situation? Son Moi pourrait basculer et un être inconnu apparaîtrait soudain, au grand étonnement des gens le connaissant pourtant si bien. Il s'agit bien sûr de cas limites, fort rares. N'en demeure pas moins que l'histoire a recueilli des cas où les sujets s'étaient forgé des dizaines de personnalités, chacune autonome et en relation le plus souvent parentale les unes avec les autres.

Les jeunes Étatsuniens qui furent brutalement éjectés de leur confort nord-américain pour aller guerroyer au Viêt-nam entre 1968 et 1975 amortissaient le choc en consommant des drogues ou en se durcissant devant l'ennemi. Certains optèrent pour une tout autre stratégie: un Moi de rechange. Revenus à la maison, ce Moi devait normalement basculer à tout jamais dans l'inconscience, ce qui ne fut pas toujours le cas. Certains saccages de restaurants en témoignent. C'est en gros le drame d'un héros du cinéma étasunien, Rambo. Il suffit d'une rencontre agressive avec un policier pour que le citoyen s'évanouisse et que «Rambo» se retrouve au Viêtnam, cette fois en pleine Amérique.

La leçon à tirer de la logique des complexes affectifs n'est pas le sensationnalisme qu'elle dévoile, mais bien que cet individu que nous croyons fermement être et avoir été est un personnage construit, imparfait, *simple locataire du champ de conscience.* Quant à l'inconscient, il échappe toujours à notre questionnement. De lui, nous ne saurons jamais rien d'autre que ce qu'il nous propose en rêve à propos de ce qui cherche à s'en échapper; un contenu qui ne lui appartient pas en propre, fait de matériaux que nous y avons jetés.

V - Synthèse

Le Ça inconscient exécute des tests de plaisir et, par un sevrage qui rend l'individu autonome, engendre un Moi en partie conscient qui produit des tests de réalisation des pulsions du Ça, et un Surmoi inconscient qui opère des tests de moralité et envoie le résultat au Moi sous forme de sentiments.

Les expériences traumatisantes forgent des cicatrices inconscientes qui entravent le travail du Moi.

Tout être humain possède un Ça qu'il faut éduquer par sevrage et, ce faisant, se forme un Moi original et compatible avec les valeurs sociales de son entourage. La conscience résulte de cette éducation, elle est pour l'individu la portion visible de lui-même. Sans Moi, pas de véritable être humain. Les distinctions sexuelles proviennent des identifications au parent du même sexe ainsi qu'à la conscience de sa constitution sexuelle (le Moi corps).

Cette conscience devient morale quand elle accuse réception des sentences que lui envoie le Surmoi au sujet de ses actes, projets et pensées. Les animaux possèdent un Ça qui peut produire par dressage un Moi peu développé, parce que sans langage véritable. La partie inconsciente de l'individu est composée du Ça, du Surmoi et de micro-Moi attachés à des situations ou à des irritants non résolus.

Les autres êtres sont d'abord des objets de désir, ou des autorités capables d'intérioriser chez l'individu des contraintes éducatives. Chez l'individu peu maître de lui-même, l'amour servira souvent de stimulant afin de satisfaire ses pulsions en cherchant des figures maternelles ou paternelles chez ses partenaires, ou encore en remplissant ce rôle auprès d'autres individus. Le comportement amoureux est souvent à rapprocher d'une relation où l'un des partenaires (ou les deux) prend le rôle du bébé. Les amoureux s'affublent de petits noms habituellement réservés aux bébés. Des anthropologues (Eibl-Eibesfeldt) ont même suggéré que le baiser serait issu d'un bouche-à-bouche utilisé chez les primitifs afin de passer des aliments mastiqués aux jeunes enfants. Rappelons que, dans les temps ancestraux, l'humain ne disposait ni de cuisson ni de nourriture pour bébé.

La liberté humaine s'exprime dans la négociation qu'entretient le Moi avec le Ça et le Surmoi. S'il est peu ou pas responsable de la formation de son Moi et de son Surmoi, l'individu peut toutefois critiquer l'action du Surmoi et peaufiner ou rejeter l'éducation reçue. En ce sens, la thérapie psychanalytique sert l'individu fonctionnel, car nul dressage éducatif n'est parfait. D'une manière globale, nous pourrions parler de maïeutique freudienne. Socrate, par ce terme, entendait sa capacité à faire «accoucher» les âmes de leur savoir. La psychanalyse demande à l'individu d'avouer sa face cachée. La guérison au moyen d'une cure psychanalytique est une confession. Faire parler le patient, piéger ses résistances, ses détours, se concentrer sur ces points de fuite, toujours présents et invisibles, faire rejaillir le souvenir, en ramenant à la conscience le contenu refoulé, cela ressemble à un accouchement de soi. À cela se résume la liberté humaine.

Nos connaissances, croyances et institutions culturelles permettent le développement d'outils qui procurent une plus grande variété de tests de réalisation pour la satisfaction des désirs dont le Moi fait la gestion. La culture et certaines croyances servent aussi à former le Moi et le Surmoi de l'individu. De plus, nos valeurs culturelles promulguent un idéal du Moi auquel chacun devrait tenter de se conformer. On trouve dans les *Essais de psychanalyse* de Freud le passage suivant :

> *Il est facile de montrer que le Moi idéal satisfait à toutes les conditions auxquelles doit satisfaire l'essence supérieure de l'homme. En tant que formation substitutive de la passion pour le père, il contient le germe d'où sont nées toutes les religions. En mesurant la distance qui sépare son Moi du Moi idéal, l'homme éprouve ce sentiment d'humilité religieuse qui fait partie intégrante de toute foi ardente et passionnée. Au cours du développement ultérieur, le rôle du père avait été assumé par des maîtres et des autorités dont les commandements et prohibitions ont gardé toute leur force dans le Moi idéal et exercent, sous la forme de scrupules de conscience, la censure morale. La distance qui existe entre les exigences de la conscience morale et les manifestations du Moi fait naître le sentiment de culpabilité. Les sentiments sociaux reposent sur des identifications avec d'autres membres de la collectivité ayant le même Moi idéal.*

Freud a tenté, avec les notions d'Éros et de Thanatos, d'expliquer le sens de la vie, d'une manière qui dépasse les limites de cette présentation, voire celles de la psychanalyse.

VI - Critique

La psychanalyse tient-elle un discours vrai? N'est-elle que l'élaboration d'un vocabulaire qui ne fait que mieux articuler notre ignorance? Certains croient qu'un jour nous pourrons remplacer ces termes vagues par la description du fonctionnement des réseaux de neurones. À la vitesse à laquelle se développe la neuropsychologie, cette hypothèse paraît plausible. Nous savons que certains tissus nerveux pariétaux agissent comme le Surmoi et sont les premiers affaiblis par une grande quantité d'alcool.

La pratique de la psychanalyse est difficile à prendre en défaut, car tout psychanalyste doit être formé par un collègue et se plier à une analyse, une forme d'endoctrinement, diraient de mauvaises langues. On retrouve le même malaise en ce qui concerne l'analyse des rêves. Le déchiffrage d'un message caché est difficile à démentir quand le décryptage force la construction du code. Sur quoi nous appuyer pour prétendre que le serpent est la figure du désir sexuel ou le substitut d'un pénis? Il demeure que la cure psychanalytique, aussi lente et laborieuse soit-elle, conduit à des guérisons spectaculaires, qui tiendraient du miracle chamanique à d'autres époques.

Le point le plus fragile de ce discours renvoie à Freud lui-même. Il a insisté pour associer tout refoulement et tout traumatisme à des expériences de la prime enfance où est en jeu un plaisir sexuel intense. Si la recherche des plaisirs et la sexualité sont fondamentales dans notre vie (la reproduction est la condition de survie de l'espèce), elles ne constituent toutefois qu'une dimension de l'existence. Alfred Adler, autre père fondateur de la psychanalyse, s'opposa à Freud en affirmant la priorité de la recherche du pouvoir (Darwin et Lorenz souligneront l'importance de dominer un territoire pour survivre). Jung, autre père fondateur, préféra suspendre son jugement. Nous pourrions adopter cette attitude en soulignant qu'on peut produire la mécanique du lapsus en écrivant, simplement parce qu'on tente en même temps de poursuivre une conversation, alors que nulle sexualité n'entre en jeu. On pourrait même parler d'un «lapsus d'habitude». Les positions de Freud et d'Adler sembleraient fondées sur un mécanisme qui existe indépendamment des priorités qu'ils lui imposent.

Finalement, la continuité de l'animal à l'humain n'est que rarement explorée, et encore moins admise par les psychanalystes. Il serait intéressant, par exemple, de concevoir le complexe d'Œdipe comme une forme sophistiquée d'empreinte animale (Lorenz).

Exercice

Tentez de produire une preuve, élaborée sur la base de votre expérience personnelle, de l'existence de l'inconscient. Expliquez pourquoi certains comportements observables ne sont pas conscients, mais, étant tout de même observables, relèvent d'une intelligence ou d'une logique inconsciente.

Analysez un de vos rêves. Tentez de voir le maquillage qu'il opère afin de vous parler d'une frustration réelle ou d'une crainte. Attention, les lieux et les personnages d'un rêve ne sont parfois que des décors et des acteurs. Il ne s'agit pas de simplement résumer ou raconter le rêve. *Un rêve parle de ce qu'on ne veut pas entendre* et il n'agit pas comme un devin.

Médiagraphie

CARDINAL, Marie: *Les mots pour le dire*, Grasset, (Livre de Poche nº 4887) 1975. L'auteure raconte son cheminement personnel à travers la thérapie psychanalytique qu'elle a suivie.

DE PALMA, Brian: *Raising Cain* (*Pulsion*), film étatsunien, 1992. Un exemple fictif de personnalités multiples et leur source.

FREUD, Sigmund: *Introduction à la psychanalyse*, Payot (PBP nº 6), 1962.

HUSTON, John: *Freud*, film étatsunien, 1962.

5

Skinner et le béhaviorisme

La grande chaîne de montage

Afin de résoudre l'énigme du mouvement des planètes, Isaac Newton avait posé, dès 1687, qu'un corps conserve son mouvement aussi longtemps qu'aucune force ne s'applique sur lui. Quand une telle force agit, le corps s'accorde à cette inclinaison en épousant la direction suggérée. On cessa de chercher une impétuosité ou une finalité internes à la matière, qui en expliquerait la trajectoire. La somme des forces sur un corps équivaut au produit de sa masse par la somme des accélérations qu'elle subit : F = ma.

John Broadus Watson, un psychologue étatsunien, introduisit vers 1914 l'idée qu'il faut fonder la science du comportement, non sur d'hypothétiques mécanismes internes de la pensée mais, d'une manière observable, sur les rapports entre les stimulations qui affectent un individu et les réactions qu'elles provoquent. Cette approche fut complétée et commentée par Burrhus Frederic Skinner qui développa la notion de conditionnement opérant*. Le corps humain se comporte selon la loi suivante : R = sc (la réaction résulte de l'agencement des stimulations et des conditionnements).

I- Comportement plutôt qu'introspection

Quand nous affirmons vouloir manger parce que nous avons faim, nous pensons qu'avoir faim est la cause qui va nous pousser à prendre un repas. Pourtant, cette formulation ne comporte aucune explication. Aucune connaissance n'est requise pour affirmer qu'un remède anesthésie grâce à son pouvoir anesthésiant. De telles formulations nous renvoient aux procédés magiques où, par exemple, la mort pouvait s'extraire de l'os d'un cadavre. C'est donc la pratique de la psychologie que prétend réformer le béhaviorisme.

Pourquoi être allé au cinéma? La réponse la plus fréquente est: «Parce que cela me tentait.» Or, cette «tentation» est invisible, semblable à celles contre laquelle nous mettait en garde la pratique religieuse chrétienne. Pourtant, plus importants furent les facteurs objectifs de notre environnement qui nous poussèrent vers cette réaction. Par le passé, je choisissais plus souvent d'aller au cinéma que de m'adonner à d'autres types de divertissement. Mes amis m'ont peut-être vanté ce film ou, adepte de la télévision, j'ai subi l'effet d'une campagne publicitaire bien orchestrée. Voilà des données objectives et observables.

L'être intérieur est un mythe. Nous aimons penser que nous sommes soumis à des tentations auxquelles nous résistons ou non, selon la force de notre volonté. Or, non seulement ces tentations semblent issues de notre environnement mais, qui plus est, conscience ou psyché, imagination, pulsion ou mémoire semblent n'avoir aucune valeur explicative. Elles sont inobservables au-delà des rapports qu'elles établissent entre les *stimuli* reçus et les réponses données par l'individu sous forme de réactions précises. Certains béhavioristes iront plus loin, ces notions d'imagination, de conscience et autres sont des reliquats de la pensée préscientifique, assimilables aux dragons, aux sorcières, et surtout à une forme d'animisme. Nous concevons les humains comme des êtres dotés d'une volonté propre, et désirant par eux-mêmes, alors qu'il ne font qu'interagir avec leur environnement. Le projet consistant à construire le mécanisme de la *psyché* serait alors à ranger dans la même section que la biologie des dragons ou la sociologie des gargouilles.

L'approche comportementale de l'étude des êtres humains nous oblige à reformuler notre manière d'exprimer nos observations. Illustrons-la par un exemple. Nous ne fuyons pas parce que nous avons peur (motivation interne); au contraire, *nous fuyons (réaction externe) et avons peur (réaction interne) à cause d'une présence menaçante (stimulation) dans l'environnement (ensemble de stimulations possibles).*

Skinner ne nie pas que nous ayons des états internes. Joie, peur, peine, envie et allégresse sont des sentiments dont chacun peut témoigner, mais ils n'ont aucune valeur explicative. Nous ne pouvons communiquer notre joie qu'en stimulant l'autre par une apparence de gaieté. Comment mesurer le degré de peine ou de joie d'un individu? D'ailleurs, il nous est impossible de décrire nos agissements en les produisant. Comment décrire l'action de ma main tout en écrivant? Nous désirons, certes; mais *je veux cet objet si j'essaie de l'acquérir quand l'occasion s'en présente.* De même, nous ne cherchons ni «plaisir» ni «douleur», mais nous recherchons des situations que nous éprouverons (réactions) comme étant agréables ou désagréables.

II - La théorie du conditionnement

La psychologie ne consiste pas à expliquer nos comportements en spéculant sur d'hypothétiques mécanismes internes, elle sert plutôt à contrôler nos réactions. L'étude de l'être humain doit donc rejeter l'introspection comme non fiable et d'ailleurs inaccessible chez les animaux. Elle se contente d'étudier ces comportements si aisés à observer dans toute espèce animale. Ces observations consisteront en liens de cause à effet entre une stimulation (provocation de l'environnement) et une réaction (réponse de l'individu). D'où sa nouvelle dénomination: science du comportement ou béhaviorisme (de l'anglais *behaviour* [anglais étatsunien *behavior*]: comportement [en France, *comportementalisme*]).

Ce qui s'observe chez les animaux peut éventuellement être projeté chez l'être humain. Si cela choque, il demeure que cette prétention a fait ses preuves. On a baptisé «ratopolis» le bassin à espace limité où un groupe de rats était confiné. À la longue, ce groupe a souffert de surpeuplement et des comportements dits déviants sont apparus: homosexualité, suicide et meurtre. Ces comportements agissent à titre de régulateurs afin de diminuer le nombre d'individus. Certains prétendent que nos centres urbains sont, telle Sodome, des sources de péchés et de corruption. La leçon que propose l'étude de nos petits rongeurs est tout autre: il s'agirait de comportements régulateurs d'une trop grande densité de population. Les centres urbains ne sont pas l'occasion d'exprimer les tentations innommables enfouies en nous, mais des lieux qui suscitent des réactions inexistantes ailleurs.

Autre postulat prôné par le béhaviorisme: l'influence de l'environnement est de beaucoup supérieure à celle des gènes. Certains prétendront que leur destin ou leur code génétique fut la cause de leurs déboires et de leurs succès, mais si l'environnement est la source motrice de nos réactions, alors c'est lui le responsable. C'est en ce sens que Skinner prétendait pouvoir former un médecin s'il s'occupait de son éducation dès sa prime enfance. Cette affirmation se pose en critique de notre système d'éducation. Nous y reviendrons en fin de parcours. L'exemple qui suit est tiré d'une entrevue télévisée. Wayne Gretzky était considéré comme le plus grand joueur de hockey. Mais il faut savoir que ses parents avaient installé un gicleur dans leur cour; en hiver, ils le faisaient démarrer à minuit et se levaient à quatre heures du matin pour l'arrêter, afin d'assurer à leur jeune fils une glace adéquate pour patiner derrière la maison familiale. Serait-il devenu une étoile du sport sans cet environnement stimulant?

La pensée humaine est l'équivalent d'une boîte noire* dont nous ne ferions que conjecturer les états internes. Une boîte noire est un mécanisme dont nous ne pouvons observer la constitution, la boîte étant scellée. Par des essais basés sur des hypothèses, il faut tenter de reconstituer son mécanisme. Même si la neuropsychologie parvient à décoder certains mécanismes de notre cerveau, la distance entre l'analyse des tissus nerveux et celle de nos comportements semble trop importante pour être franchie à l'échelle individuelle. L'approche comportementale refuse cette tâche titanesque et considère clos le dossier de la boîte noire humaine.

Le béhaviorisme applique à l'être vivant le principe d'inertie de masse* de Newton. Son modèle du comportement se résume ainsi :

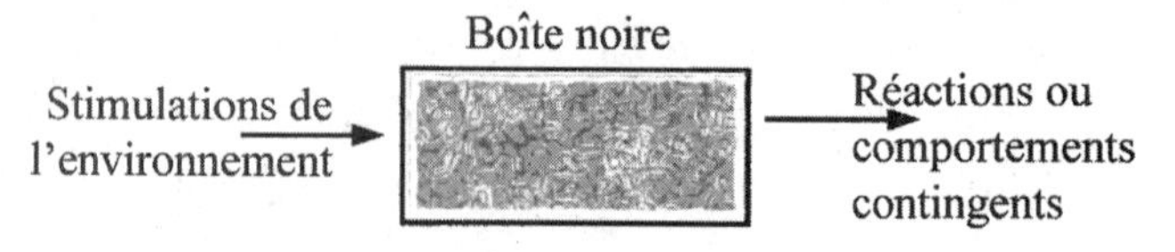

Les relations entre les stimuli et les réactions sont contingentes: possibles mais non nécessaires. La fréquence d'une relation entre un stimulus et une réaction associée sera prévisible dans le cas d'un arc réflexe*: si ma main touche du feu, mon bras se rétractera. Par contre, qui peut prédire si un adolescent qui entre dans un collège pour y poursuivre des études en ressortira avec un diplôme deux ans plus tard? Heureusement, il est possible de renforcer le lien entre une stimulation et une réaction grâce à un conditionnement approprié. Le but de ce conditionnement sera de rendre plus fréquente l'apparition du comportement souhaité, la réussite des études dans notre exemple. Vouloir considérer cette tâche sous l'angle de la motivation de l'individu reviendrait pour les béhavioristes à camoufler ce processus de conditionnement.

C'est le physiologiste russe Ivan Petrovitch Pavlov qui mit les psychologues sur cette voie en supposant que l'apprentissage se faisait essentiellement par le conditionnement ou la programmation des réflexes. Une expérience illustre met en scène une cloche, un chien et de la nourriture. Il suffira de faire sonner la cloche avant de nourrir le chien pour que, par la suite, le son de la cloche fasse saliver le chien. Ici, la cloche agit comme *stimulus*, la salivation est la réaction contingente, voire improbable, et le renforcement* est assuré par la nourriture, liant l'audition de la cloche à l'acte de saliver. Il s'agit d'un cas particulier de conditionnement, dit «classique», car il existe une relation naturelle entre la *réponse* (saliver) et le renforcement (nourriture).

La science du comportement a élargi ce principe pour déboucher avec Skinner sur une théorie du conditionnement opérant pouvant agir sur toute la gamme des relations entre stimuli et réponses. Le conditionnement opérant est une programmation qui augmente la probabilité d'une réaction en la liant pour un temps à une autre conséquence. La réaction souhaitée devient la condition de cette conséquence:

Environnement	-----------> *lien contingent*	*Comportement*	<--------- *renforce*	*Conditionnement*
ensemble de stimuli contingents possibles		réaction possible		conséquences souhaitées associées à diverses réactions

III - Le principe du conditionnement opérant

Un conditionnement opérant pose la réaction souhaitée comme une étape nécessaire à la réalisation d'autre chose, à la manière de l'âne que fait avancer la carotte placée devant lui. Ce faisant, le conditionnement renforce la probabilité d'apparition d'un comportement souhaité dans un environnement donné. Notons qu'on entend par environnement l'ensemble de stimulations pour la personne dans un espace physique donné, et non les constituants de cet espace. Une galerie de tableaux est un environnement pauvre pour un aveugle.

Mais d'abord, illustrons les principes. Une publicité de la bière X nous montre un individu mâle qui commande cette marque dans un bar et se voit aussitôt entouré d'amis et de jolies femmes. Cette réclame conditionne le buveur à choisir cette marque, car la bière X se pose en promesse d'autre chose: avoir des amis ou une relation sexuelle. Nous pouvons généraliser le conditionnement que suscite ce type de publicité *(il s'agit d'une version simplifiée de la théorie du conditionnement opérant)* :

- *environnement stimulant* : endroit où on vend / consomme de l'alcool;
- *réponse souhaitée* : acheter/consommer une bière de marque X;
- *conditionnement* : la satisfaction que promet le concept publicitaire (rapports sexuels, amis, vacances, amour).

On peut distinguer trois principaux types de renforcements:
- le renforcement aversif à court terme : la punition;
- le renforcement positif à court terme : le «bonbon»;
- le renforcement positif à long terme : la «valeur».

Un renforcement est positif si les conséquences de la réaction sont souhaitées, sinon il est négatif. Nous le disons à court ou à long terme en fonction du délai séparant la réaction de la conséquence espérée, mais aussi de l'aspect «invisible» de ce qui est espéré. Ainsi, une punition est une conséquence à court terme, mais l'espoir d'une meilleure vie peut se matérialiser à très long terme. Si une tape se voit, l'ambition qui motive quelqu'un ne transparaît pas forcément dans ses actions quotidiennes. Examinons en détail le cas de l'élève qui entreprend des études collégiales.

- *environnement stimulant*: la vie collégiale, comprenant les cours, les fréquentations, les loisirs et les tentations de toutes sortes.
- *réponse souhaitée*: l'obtention du diplôme dans les délais prescrits, supposant la présence aux cours et l'étude de la matière.

Dressons la liste des conditionnements possibles :

- *négatif*: colère des parents, menace d'une sanction: «si tu échoues, je t'envoie à l'armée».
- *positif*: obtention d'une récompense ou d'un cadeau: «si tu réussis tes études, je t'achète une auto».
- *à long terme*: mise en perspective de la vie de l'élève : «si tu réussis tes études tu seras fier de toi» [positif]. Ou encore : «si tu échoues dans tes études, le reste de ta vie tu te considéreras comme un raté, un incapable [négatif].

Analysons les implications sous-jacentes aux différents conditionnements présentés dans cet exemple. C'est ici que le béhaviorisme devient intéressant pour nous.

L'élève qui réussit ses études sous la menace d'une sanction est probablement habitué à obéir afin d'éviter les punitions. Pour lui, être libre signifie se soustraire à ces menaces. Avec le temps, il tendra probablement à s'endurcir et à fuir toute forme d'autorité. Il se servira de la même forme de contrainte pour obtenir, surtout de ses subalternes, les comportements qu'il attend d'eux. Le sujet habitué aux récompenses, lui, s'attendra à obtenir un salaire quand il répondra aux demandes des autres. Peu à peu, il pourrait devenir profiteur ou développer des relations dans lesquelles les biens matériels, les services rendus et l'argent serviraient d'intermédiaires. Il sera vénal, sujet à la corruption. L'élève travaillant pour un profit à long terme agira pour sa propre satisfaction et pour obtenir l'estime de ses pairs, ou encore ne pas être déçu de lui-même ou pour ne pas être sous-estimé par les autres. Si cet individu recherche une gratification, il ne l'obtiendra pas aux dépens des autres. Il sera un adulte sachant beaucoup mieux s'adapter et s'insérer dans la société. Son sentiment de liberté sera maximal lorsqu'il acceptera lucidement de sacrifier cette liberté d'action au profit d'une situation future satisfaisante.

Vous trouvez un porte-monnaie sur le trottoir. Il contient des cartes de crédit, un permis de conduire et d'autres pièces d'identité ainsi qu'une centaine de dollars. Si vous êtes une personne conditionnée à obtenir une satisfaction à long terme, vous serez «tenté» de remettre l'objet à son propriétaire; l'étonnement et la gratitude seront pour vous un profit fort apprécié. Par contre, si vous avez appris à réagir en fonction d'une récompense, vous prendrez l'argent. Déposer le porte-monnaie avec les cartes dans une boîte aux lettres pour que le postier le restitue à son propriétaire vous semblera une attitude acceptable, voire charitable. Dans le dernier cas, sans crainte d'être puni, tout ce qu'il sera possible de soutirer de ce butin sera pour vous un coup de pouce du destin, et tant pis pour l'étourdi qui a égaré son porte-monnaie !

Nous pouvons en conclure que le type de renforcement choisi dans l'éducation des enfants est d'une importance primordiale. Soulignons que si nous demandons à des adolescents lequel de ces trois renforcements est le plus efficace, ils choisissent en majorité le second (l'auto), puis la punition (l'armée). Par contre, si on demande, après explication des conséquences futures, lequel est le plus efficace pour maintenir la cohésion sociale, *donc le meilleur*, c'est le renforcement à long terme qu'ils choisissent, celui dont ils se moquaient plus tôt. Skinner constate que les renforcements à long terme exigent plus de temps et un effort marqué afin d'amener l'individu à les apprécier. En guise d'exemple d'effort coûteux : pensons aux cours «inutiles» de philosophie. Si la société s'appuie sur les économie d'argent et l'absence d'investissement émotif que permettent des renforcements à court terme, elle fait l'apologie de l'individualisme fondée sur l'avantage d'une liberté qui n'est que la fuite devant la punition.

La théorie du conditionnement explique aussi pourquoi les découvertes sont possibles. Comment l'éventualité d'un feu le lendemain matin a-t-elle pu amener le primitif à placer des braises sous les cendres la veille? C'est très simple. Si nous pouvons faire du feu (réaction) au moyen de braises (stimulus), et que souvent nous trouvons des braises (réaction) sous les cendres (stimulus), le renforcement s'établira à la longue:

cendre --> (souvent) braises et braises --> feu.

Quant aux superstitions, elles résultent d'un renforcement accidentel. L'individu qui fait une rencontre amoureuse le soir où il étrenne sa nouvelle tenue vestimentaire pourra conclure à la magie de ses vêtements. Cela le portera alors à adopter cette tenue afin de faire d'autres rencontres. Plus grand sera le hasard, plus grande sera la superstition.

IV - Valeurs et conditionnement

Il n'est pas facile d'expliquer un conditionnement à long terme sans tenir compte d'une visualisation par le sujet; bref, de parler de désir. Afin d'en montrer le mécanisme sans tricher avec le credo comportementaliste, nous utiliserons des notions de psychanalyse et d'éthologie*, deux sciences opposées farouchement au béhaviorisme!

Plaisir et déplaisir s'opposent et se stimulent mutuellement. Un plaisir est d'autant plus grand qu'il évacue un déplaisir; le chocolat est d'autant meilleur que j'ai faim. Le plaisir seul tend à s'amenuiser et cause une néophilie*: la passion pour la nouveauté, terme de Lorenz, dont les conséquences dans notre quotidien sont désastreuses à ses yeux. Une intolérance croissante envers le déplaisir, conjugué avec un attrait réduit du plaisir, conduit à perdre la capacité de travailler durement en vue d'un résultat lointain prometteur de plaisir. Il en résulte un besoin de satisfaction immédiate des désirs. Cette satisfaction immédiate est malheureusement favorisée par les entreprises commerciales et les producteurs, avec comme conséquence que les consommateurs sont devenus esclaves des achats à crédit. Les effets sont particulièrement désastreux dans le domaine du comportement sexuel. On assiste dans les sociétés industrielles à la disparition des comportements culturels qui visaient à la reproduction de l'espèce; la gestation, l'enfantement et les soins aux jeunes enfants ne procurent pas des plaisirs à court terme.

Dans le conditionnement positif à long terme, un déplaisir à court terme rend possible un plaisir répété (plutôt que durable) à long terme *en s'appuyant sur le souvenir du déplaisir*. Le court terme permet de *visualiser* par l'exemple le long terme. Je vais prendre un exemple personnel. Mon frère et moi avons été éduqués par une mère mettant l'accent sur la réussite dans les études. Non seulement nous punissait-elle quand notre rendement était insatisfaisant, mais elle arborait un large sourire et manifestait une franche fierté quand nos résultats étaient excellents. Or, même quand nous obtenions de bons résultats, elle ne nous permettait pas de nous reposer, il nous fallait persévérer. Cependant, ma mère mourut alors que mon autre frère, plus jeune de six ans, commençait ses études secondaires. Le résultat? Il ne termina pas ses études secondaires alors que ses aînés sont des diplômés universitaires. Pourtant, il n'est pas plus bête que ses frères aînés. C'est ainsi qu'un individu adopte des valeurs par l'attention soutenue d'autorités qui font entrevoir un bonheur à long terme.

La vie est fonction de valeurs qui lui donnent un sens, une orientation: un choix sélectif de comportements. Les valeurs peuvent être ludiques, économiques ou artistiques, politiques ou militaires, religieuses ou scientifiques. Respectivement, elles se matérialiseront en plaisir, richesse, pouvoir et savoir. La pulsion primitive du bébé devient un objet de désir à court terme, puis l'éducation peut la muer en la réalisation d'une valeur. La valeur est donc une manière d'agir considérée comme nécessaire à l'obtention du bonheur. Les pratiques sociales matérialisées dans nos institutions sont des solutions acceptées par l'ensemble de la population, des choix d'expression de valeurs. Selon le lieu et l'époque, le capitalisme sauvage, le communisme ou la féodalité ont été des dispositions nécessaires à la vie communautaires et à l'obtention du bonheur. De même, nous éduquons nos enfants pour qu'ils soient honnêtes ou cordiaux, car ces comportements manifestent une valeur que nous pensons nécessaire à l'obtention du bonheur: être en paix avec ses voisins.

Il ne reste qu'à exorciser la croyance que nous naissons avec des valeurs, croyance qui juge les êtres bons ou mauvais en soi, et où l'éducation ne ferait alors que camoufler leurs vices ou manifester leurs vertus intrinsèques. Ce fut la croisade de Skinner: montrer que ce sont nos choix éducatifs et sociaux qui fabriquent les mauvais citoyens.

V - Les valeurs humaines

À des sensations, des actions ou des gens, nous pouvons associer des pensées tout autres (buts, projets, émotions, etc.). Ainsi, quand un Grec de l'Antiquité contemplait les volontés (les grés) de la voûte étoilée, il y voyait une enveloppe protectrice, tandis que l'astronome contemporain y voit un espace immense et vide de sacré. C'est cette capacité de l'esprit à attacher à des perceptions des significations abstraites et universelles qui soutient le conditionnement à long terme basé sur des valeurs. Chaque possibilité de matérialiser dans une situation concrète ses valeurs abstraites (lire: non visualisées) devient le «bonbon» dont l'individu s'alimente seul, réalisant ainsi de manière autonome les valeurs de son entourage.

Au début des années soixante-dix, plusieurs jeunes Étatsuniens ont refusé d'aller se battre au Viêt-nam*. Pourtant, leurs pères n'avaient pas hésité à combattre les troupes allemandes et japonaises. Plusieurs accusèrent cette jeunesse d'être corrompue par l'abondance de biens et le confort. L'environnement stimulant avait bel et bien changé, mais les renforcements conditionnant l'apparition du «sens du devoir» et de la «fierté patriotique» s'étaient érodés.

Comment inciter quelqu'un à risquer sa vie s'il n'y trouve aucun avantage? Nous pourrions l'emprisonner (renforcement négatif) ou lui offrir un salaire (renforcement positif à court terme), mais ils seraient de bien pauvres stimulants pour motiver un jeune homme à exposer sa vie au combat. Pourquoi donc les soldats partirent-ils pour le front lors de la Seconde Guerre mondiale? Pour obtenir l'admiration des autres et l'estime de soi, conséquences directes du sentiment de se battre pour une cause juste. Bon nombre d'Étatsuniens jugeaient la guerre du Viêt-nam inutile et vaine. Admiration et estime devenant des renforcements inopérants, la rébellion fut possible. Les jeunes Étatsuniens des années soixante-dix n'étaient pas moins «courageux» ou «patriotiques» que leurs pères; cependant, une portion de leur société n'encourageait pas la mise en péril de leur vie. Le risque n'en valait plus le «salaire».

Le sens du devoir est donc fondé sur une récompense difficile à cerner. La personne honnête l'est aux yeux de ses proches, c'est leur estime qui renforce ses comportements honnêtes. Si nous sommes poussés à le croire honnête de nature, c'est que *l'impression de vertu croît à mesure que le contrôle visible décroît, à mesure que la récompense ou la punition s'éloigne dans le temps et l'espace du comportement renforcé.* Les vertus telles que l'honnêteté, la franchise, le sens du devoir et des responsabilités, qui sont le lot du bon citoyen, sont donc des comportements qui relèvent de renforcements à long terme, conditionnements qui exigent une éducation suivie et un entourage attentif. À l'opposé, plus les causes du comportement de l'individu sont claires, moins nous lui attribuons de mérite, moins nous le trouvons vertueux.

L'individu n'a donc pas de mérite à bien se comporter parce qu'il a choisi librement de le faire; c'est son éducation qui réussit à lui faire visualiser des situations futures gratifiantes, accessibles grâce au comportement prescrit. Si tout être humain recherche le plaisir et fuit les désagréments, l'individu bien éduqué adoptera des comportements comportant à court terme des désagréments, mais qui seront la promesse de plaisirs inaccessibles à court terme (ce que nous avons établi à la section précédente). Pensons à la personne qui étudie longtemps dans un état de pauvreté relative, sacrifiant ses temps libres à l'étude des matières scolaires afin d'obtenir une vie meilleure, celle précisément qu'il observe chez ses maîtres.

Notre conception de la responsabilité individuelle est donc à réviser, selon Skinner. Nous culpabilisons les individus délinquants, les toxicomanes et toute personne manifestant un comportement déficient; pourtant, nous savons l'influence fondamentale des circonstances, de l'entourage et du passé éducatif de ces individus. En particulier, notre méthode de punition ne réussit pas à juguler, et encore moins à éradiquer ces comportements déficients. Après avoir purgé sa peine ou suivi un traitement de réhabilitation, l'individu revient généralement dans un environnement qui lui propose les mêmes stimulations que par le passé. Il les recevra avec les mêmes conditionnements de base et la même éducation. Seuls la menace d'une peine plus sévère ou des renforcements thérapeutiques souvent produits à moindre frais l'obligeront à mieux se comporter, ou à récidiver sans être pris.

Quand une automobile sort défectueuse d'une chaîne de production, la pénalisons-nous? Non, nous examinons son processus de fabrication et corrigeons le procédé de fabrication. Nous devrions agir de même avec les individus déficients: ne pas simplement les retirer de la circulation, mais corriger la «chaîne de production». Pourtant, une sanction atteint rarement le milieu qui engendre la déficience. L'intervention dans ces milieux coûte très cher, il est plus simple d'en occulter la production délinquante.

Si les «bonbons» et les «craintes» qui renforcent nos comportements à long terme sont très peu visibles, nous les interprétons comme des aptitudes individuelles, des «valeurs» personnelles. Mais ces valeurs constituent la somme des situations hypothétiques futures que souhaite assurer l'individu par sa stabilité comportementale actuelle. Ces valeurs sont parfois égoïstes, parfois sociales. L'être égoïste recherche ce qui est bon pour lui; l'être social, ce qui est bon pour la majorité.

Le théologien Thomas d'Aquin, père de la philosophie catholique, tenta d'expliquer pourquoi un Dieu infiniment bon avait permis l'apparition du mal. Sa solution est élégante: chacun cherche son «bien»; celui qui le fait de manière égoïste fait du mal aux autres, mais cherche néanmoins son bien. La présence du mal est donc contextuelle. La théologie médiévale et le béhaviorisme nord-américain s'entendent sur ce point: il faut éduquer les gens à vouloir les bonnes choses (les valeurs sociales). Voyons pourquoi un tel objectif est difficile à réaliser.

Vous êtes dans une salle de cinéma et soudain on crie au feu. Si vous êtes préoccupé par votre petite personne, la solution la plus efficace consistera à courir vers la sortie. Or, si c'est la bonne solution pour vous, elle l'est aussi pour les autres. Cela créera une panique et un engorgement à la sortie, entraînant probablement la mort d'un bon nombre des personnes présentes dans la salle. Autre exemple, magasiner dans les grandes surfaces : en fréquentant les centres commerciaux, chacun épargne, car les distributeurs peuvent acheter en gros et baisser leurs prix. Pourtant, cette économie est minime comparée au chômage régional qu'elle crée. Tous les petits commerçants mis en faillite devront être pris en charge par la société. Pour ce faire, nos gouvernements puiseront dans nos poches au moyen d'impôts et de taxes. En voulant notre «bien» à court terme, nous engendrons un «mal» généralisé à long terme. Le comportement d'un délinquant s'explique selon une logique similaire. Il est donc crucial pour une société d'éduquer (de conditionner) ses citoyens à adopter des valeurs altruistes (à opter pour des comportements grégaires). Mais nous serons tous d'accord pour reconnaître qu'il est fort ardu d'empêcher un individu de se mettre à courir vers la sortie... ou le supermarché.

Une émission hebdomadaire de fiction (*The Outer Limits*) nous fournira un exemple illustrant l'importance des valeurs altruistes. Vous êtes à la maison, seul, quand un individu se présente à votre porte et vous offre dix millions de dollars en petites coupures si vous acceptez de presser le bouton de la boîte qu'il tient en main. Lorsque je soumets cette offre à mes élèves, très peu acceptent, la grande majorité demande à examiner les conséquences de ce geste. Quand vous appuierez sur le bouton, une personne mourra, mais ce sera quelqu'un que vous ne connaissez pas, et aucune trace ne permettra de remonter jusqu'à vous comme étant responsable de ce décès. Deux conditionnements opposés opèrent: l'argent (égoïste, à court terme) et le respect de la vie (altruiste, à long terme). Certains s'offusquent et refusent d'agir. Pour ces récalcitrants, il faut faire miroiter tout ce que leur permettront ces dix millions, peut-être aller jusqu'à leur offrir cent millions, ou leur promettre l'amour d'une étoile du cinéma. En fin de compte, peu refuseront résolument de presser le bouton. Et si vous avez accepté, dépêchez-vous de jouir de votre butin, car l'individu va faire la même offre à quelqu'un d'autre. Oh, soyez sans crainte, quelqu'un que vous ne connaissez pas. Quelqu'un qui adoptera la même attitude égoïste que vous; quelqu'un qui en subira les conséquences, tout comme vous.

VI - Synthèse

L'être humain est un répertoire complexe de conduites (réactions à l'environnement) qu'il est possible de conditionner.

Les hommes et les femmes se distinguent par les conditionnements sexistes que la culture impose. Les distinctions physiologiques et même psychologiques qu'on pourrait mettre au jour entre les deux sexes n'ont qu'un impact minime, l'éducation selon le sexe est déterminante.

La conscience et la subjectivité constituent des réactions internes, des états subjectifs. Ils sont pourtant essentiels afin de visualiser les situations gratifiantes éloignées dans le temps. Il demeure que la conscience morale peut remettre en cause les renforcements reçus en jaugeant leurs résultats. Les animaux ne peuvent recevoir de renforcements positifs à long terme, ne pouvant visualiser des valeurs sociales. Mais l'effet des renforcements négatifs peut persister longtemps. Leur éducation se réduit au dressage.

Les relations humaines sont, elles aussi, issues de conditionnements culturels. Ainsi, l'amour est un renforcement positif qui assure nos réactions à l'égard de l'être aimé, comme la fidélité et l'assiduité sexuelle. Abnégation et altruisme sont des attitudes issues de renforcements qui, résumés dans ces valeurs, donnent un sens à la vie au-delà de soi, l'investissement social recevant sa récompense de la stabilité et de la solidité de l'entourage culturel.

La liberté est l'équivalent subjectif de la contingence de nos réactions. Elle se manifeste aussi dans la fuite des renforcements négatifs.

Notre système culturel, et surtout nos croyances, nos lois et notre morale, sont des conditionnements opérants qui intègrent le comportement individuel dans le fonctionnement du groupe. Certaines connaissances, comme celle de la science comportementale, interviennent sciemment dans ce processus éducatif. En gros, la culture corrige les dispositions naturelles, diversifiées, en établissant un contrôle planifié, idéalement par des renforcements positifs à long terme. Nos valeurs sociales et religieuses servent à manipuler le comportement vers des fins altruistes. Elles se jugent par leur aptitude à faire survivre la culture.

VII - Critique

Le béhaviorisme a été férocement attaqué. D'une part, parce qu'il renonce à sonder l'esprit humain, d'autre part au sujet de certaines de ses méthodes assez brutales de conditionnement comme les chocs électriques.

Il existe des stimuli internes, tels la faim et le langage. De plus, un conditionnement à long terme doit se matérialiser dans l'esprit sous forme d'une valeur qu'il serait intéressant de comprendre. En outre, si les renforcements opèrent bien chez les animaux, leur action est plus faible chez les humains. Croire qu'un nouveau conditionnement produira un être nouveau par simple dressage, en ignorant sa structure instinctive, semble être une dangereuse illusion, pour Lorenz entre autres.

Les renforcements à long terme équivalent à une thérapie et doivent passer par le langage. Ils n'offrent rien de mieux que d'autres thérapies, comme la psychanalyse, et privent le thérapeute de toute psychologie de la pensée qui pourrait le guider. Plus inquiétant peut-être est de constater que les béhavioristes reçoivent mal la critique de Skinner sur les renforcements à court terme et à bas prix, pratiques qui engendrent des écarts sociaux dans les sociétés nord-américaines. La thérapie béhavioriste est le plus souvent adoptée dans sa version punitive peu coûteuse, en substitut de thérapies efficaces à long terme mais coûteuses.

Finalement, si l'on peut comprendre l'intelligence par stimuli-réponse, comme quand on apprend à additionner, cette explication ne montre pas pourquoi il y a eu passage de l'addition à la multiplication, puis à l'intégrale. La créativité est ardue à expliquer par simple conditionnement si des observations claires ne sont pas identifiables, comme dans l'exemple de la braise sous les cendres.

Exercice

Analysez une publicité sous l'aspect du renforcement de l'achat d'un produit. Identifiez l'environnement (le contexte stimulant où se situe le client ciblé), la réaction suscitée dans ce contexte (l'achat du produit) et le renforcement choisi (le théâtre de la réclame, le «concept» vendu au fabricant, ce que le consommateur croira obtenir en plus du produit acheté). Finalement, vous pourriez identifier le type de renforcement et critiquer sa valeur sociale (sa vertu). Pensez en particulier à des publicités qui s'adressent à votre catégorie d'âge, de sexe ou de statut social.

Médiagraphie

BAECHLER, Jean : *Qu'est-ce que l'idéologie?*, Gallimard, 1976.

SKINNER, B. Fr :. *Par-delà la liberté et la dignité*, Laffont, 1972.

KUBRICK, Stanley : *A Clockwork Orange*, (*Orange mécanique*), film britannique, 1971.

RESNAIS, Alain : *Mon oncle d'Amérique*, film français, 1978.

STONE, Oliver : *Natural Born Killers*, film étatsunien, 1994.

THÉRIEN, Gilles : *Ratopolis*, film canadien de l'ONF, 1973.

6

Darwin, Lorenz et l'éthologie

L'animal urbain

Depuis la fin du XVIIIe siècle, l'idée que chacune des espèces comporte une variété de races (chat siamois et chat persan, par exemple) vient s'opposer à un catalogue fixe d'animaux et de plantes répertoriés une fois pour toutes. Si les variations d'une espèce étaient notées depuis l'Antiquité, une plus grande diversité était apparue par l'assemblage de grands cheptels d'animaux (en particulier les troupeaux de vaches). Lors de ses voyages, Charles Darwin accumule bon nombre d'exemplaires de plantes et d'animaux. Revenu en Angleterre, la masse d'informations recueillie lui pose un sérieux problème de classification. Il lui faut trouver une méthode afin de décider quand une variété devient une espèce distincte (s'il poursuivait son évolution, quand le chat siamois cesserait-il d'être un chat pour devenir une espèce nouvelle?). En examinant les classifications utilisées par ses pairs, Darwin découvre que, si chacun use d'une méthode, aucune ne fait l'unanimité ni ne s'impose par sa clarté et sa rigueur. Il faut donc trouver ce qui pousse les espèces à se diversifier, d'où son livre: *De l'origine des espèces*. Justifier sa méthode exige un travail conceptuel préliminaire, montrer que c'est de la lutte pour la survie que jaillit la variété. Ce faisant, Darwin pose les bases de l'éthologie, dont Konrad Lorenz sera l'un des plus éminents porte-parole. Une bombe éclate dans le monde des idées: nos ancêtres sont des animaux.

I - Adaptation, sélection et évolution des formes de vie

Pourquoi les girafes ont-elles un long cou? À l'aube du XIXe siècle, Jean-Baptiste de Monet (1744-1829), chevalier de Lamarck, tente de raisonner sur cette curiosité animale et met au jour un projet évolutionniste: les girafes doivent tendre leur cou afin d'atteindre les plus hautes feuilles des arbres, les petits les imitent et se déforment: la morphologie des individus s'adapte. Le même raisonnement s'appliquerait aux longues pattes des cigognes. Ces dernières doivent les étirer afin de capturer les poissons des eaux plus profondes, où les autres cigognes ne vont pas. L'idée était donc lancée: la nécessité de survivre peut modifier l'apparence de la progéniture.

Pressé par ses amis de rendre public le résultat de ses travaux, Darwin publie son célèbre livre en 1859. Il remplace le principe d'adaptation progressive de l'organisme par celui, plus radical, de sélection des individus. Son explication va comme suit. Une population animale croît rapidement. Ainsi l'éléphant est l'animal le plus lent à se reproduire. Pourtant, un seul couple engendrerait en 750 ans, sans l'élimination d'une partie de leur progéniture, dix-neuf millions de descendants. Mais les ressources environnementales qui alimentent cette population restent limitées. Dans son livre *Essai sur le principe de population,* publié en 1798, Malthus avait résumé ce principe: si on peut espérer une progression arithmétique des récoltes (x2, x3, x4...), cela encouragerait les naissances selon une progression géométrique (x2, x4, x8...). En conséquence de ces remarques, deux comportements typiques sont observables.

- Les individus tendent à s'étaler sur le territoire. Si un cordonnier est installé sur une avenue commerciale, un jeune cordonnier préférera s'installer plus loin pour mettre une certaine distance entre lui et son concurrent.

- Les individus manifesteront une agressivité maximale dans les lieux qui leur sont familiers. Un cordonnier qui voit un concurrent s'installer tout à côté de lui sera porté à faire de la publicité ou à offrir des rabais afin de garder sa clientèle; l'autre, de son côté, pourrait développer une manière de travailler plus efficace ou plus originale afin de s'imposer.

Si ces adaptations ne suffisent pas, il se fera une sélection des meilleurs candidats, c'est-à-dire ceux qui sont mieux aptes à se nourrir, à se protéger, et surtout à vaincre la concurrence. Seule une partie des rejetons va survivre, ce seront les meilleurs candidats. La sélection s'effectue donc principalement entre concurrents à l'intérieur d'une même espèce animale. Les gagnants transmettent leurs gênes; les perdants, non. Il suffit de l'apparition d'une légère variation héréditaire qui rend un organe plus efficace pour que les porteurs de ce gêne et leurs descendants deviennent des concurrents imbattables. Un félin naissant avec de plus longues griffes, fonction essentielle à la conservation des espèces félines, pourra chasser ses congénères de son territoire. Mieux nourri, il pourra plus facilement se reproduire et mettre sur le marché de la concurrence encore plus d'individus à longues griffes. Par analogie, les peuples de l'Antiquité qui combattirent avec des armes en fer, plus résistantes, éclipsèrent leurs adversaires munis d'armes de bronze. L'évolution est donc opportuniste, et non perfectionniste.

En bref, le principe de la sélection naturelle de Darwin pose que les plus forts se reproduisent aisément, que les mieux adaptés survivent plus facilement, car ils trouvent leurs proies ou évitent leurs prédateurs plus efficacement. Voilà la piste qui permettrait de jauger variétés et espèces. La contribution de Lorenz à cet égard consistera à mettre en évidence le rôle et le caractère unique de l'agressivité dans cette lutte pour la survie individuelle.

Lorenz remarque qu'il n'y a pas d'agressivité dans la chasse. Le loup n'est pas plus agressif envers sa proie que nous ne le sommes envers notre sandwich au poulet. Quand ils chassent, les chiens manifestent de la gaieté. L'agressivité serait affaire de conservation et de survie: protection du territoire, conquête de partenaires sexuels et défense (dans le cas où la proie se défend). D'une part, l'agressivité à l'intérieur d'une même espèce (entre loups ou entre motards, par exemple) est indépendante de l'environnement. Un loup (ou un motard) ne rivalise pas avec un castor (ou un comptable) pour un territoire ou une femelle. Notons que cette compétition peut parfois favoriser l'apparition de caractéristiques nuisibles à l'espèce. La ramure des cerfs ne sert aux mâles que dans les combats rituels où le vainqueur pourra s'approcher de la femelle. Or, quand les cerfs doivent se faire des sentiers dans les buissons pour échapper aux attaques des loups, un mâle dominant peut coincer sa ramure dans les branches. Dans la lutte symbolisée que représente le sport professionnel, les athlètes développent une musculature disproportionnée par rapport à leur ossature et aux tendons des muscles. Ce qui donne lieu à des blessures aberrantes: pensons à ce joueur de baseball qui s'est fracturé une cheville en courant!

Parfois la concurrence se fait entre animaux occupant la même niche écologique. Lorenz cite le cas du dingo, un chien introduit en Australie par les humains. Ce chien est un chasseur plus efficace que le «loup» marsupial. Les proies qui purent échapper aux morsures du dingo s'avérèrent trop intelligentes pour la stratégie de chasse du loup marsupial, que cette concurrence élimina. Pourtant, le loup marsupial pouvait vaincre le dingo grâce à sa puissante mâchoire. L'apparition de l'agriculture en Amérique a favorisé la multiplication des oiseaux mangeurs de grains. Or, les oiseaux sont en concurrence pour trouver des sites de reproduction (les nids). Cela entraîna la diminution du nombre d'oiseaux insectivores, car leur bec étant moins dur que celui des oiseaux granivores, ils devaient battre en retraite devant les coups de leurs concurrents.

Il existe bel et bien une lutte pour l'existence. Pas seulement entre prédateurs et proies, mais aussi entre concurrents, une lutte fratricide souvent mortelle. Certains oiseaux carnassiers attendent qu'un des deux oisillons jette l'autre hors du nid avant de le nourrir. On ne s'occupe que du plus fort.

*II - La règle éthologique**

L'apparition ou l'évolution d'une caractéristique animale nous oblige donc à nous demander quelle exigence naturelle est satisfaite par cette transformation. Par exemple, pourquoi certains poissons affichent-ils de vives couleurs? L'observation nous apprend que les poissons aux couleurs vives ou multiples possèdent un domicile fixe et sont le plus souvent solitaires. Par contre, les poissons nomades se déplacent surtout en bandes et portent des couleurs moins vives. La couleur est un moyen facile de repérage des concurrents, ce qui évite à ceux-ci de s'approcher. Le cas échéant, ces couleurs déclenchent une rage envers son porteur. Ces couleurs distinctives font en sorte que seuls leurs congénères sont la cible de cette agressivité territoriale. Le chant des oiseaux et les affiches des commerçants jouent un rôle analogue.

Si ces poissons bariolés enjolivent notre aquarium, il est parfois impossible que plus d'un y survive. N'ayant nulle possibilité de fuite, l'autre sera tué. Le survivant ne trouvant plus de cible à son agressivité, il s'attaquera au poisson ressemblant le plus à son concurrent. C'est pourquoi on recommande de placer un miroir pendant de courtes périodes de temps sur le côté de l'aquarium, afin que le poisson solitaire s'acharne sur son image.

III - Regroupement et rituels

Parfois, un animal attaquera sa propre progéniture. L'agressivité concurrentielle pose une double contrainte: nos enfants sont aussi de futurs concurrents, mais ils sont nécessaires à la survie de l'espèce. De plus, le regroupement permet de coopérer et assure une meilleure protection. Les rituels animaux vont résoudre ce dilemme en permettant d'élever les petits et de regrouper les individus pour la chasse ou la protection.

La nécessité de protéger les enfants aurait rendu nécessaire la création de signes apaisants. Les enfants qui émettront ces signes seront protégés de l'agressivité parentale et ils survivront plus facilement. Le comportement d'une mère oie est exemplaire. Ces femelles sont particulièrement agressives quand elles voient de la fourrure. Ce surplus d'agressivité leur permet de mieux protéger leurs petits. Or, ces petits possèdent une fourrure qui suscite l'agressivité maternelle, mais leur piaillement empêche qu'elle se retourne contre eux. Par ailleurs, une oie sourde s'attaquera à sa progéniture. Ce piaillement est l'embryon d'un rituel de soumission* à partir duquel il est possible de construire des rituels plus élaborés.

Un rituel de soumission est un comportement qui, sans abolir la pulsion agressive, sélectionne des cas particuliers d'inhibition. Nos lois sont d'abord des interdictions ou des obligations rituelles à se comporter d'une manière conventionnelle. De même, un rituel de soumission crée des instincts nouveaux, des «tu dois», aussi forts que les grands instincts primitifs (se nourrir, procréer, fuir et agresser), mais qui inhibent ou redirigent l'agressivité. Le loup en voie de perdre son duel exécute un geste surprenant : il offre sa gorge à la morsure ennemie. Ce geste a pour effet d'arrêter le combat; au mieux, le vainqueur mordra symboliquement dans le vide. *L'avantage des rituels sur les instincts est qu'ils sont transmis culturellement et sont adaptables.* Les espèces capables d'en produire ont rapidement eu l'avantage sur les espèces concurrentes.

La vie en groupe nécessite l'établissement de petits territoires, d'une distance à respecter entre individus, et c'est à cela que servent les signes de soumission. Le drapeau blanc qu'agite l'armée vaincue lui permet d'éviter la destruction complète. Il s'établit alors une hiérarchie au sein du groupe selon laquelle les plus faibles se soumettent aux plus forts. Celui qui prend la parole, celui à qui l'on prête attention dans un groupe est l'individu dominant. Cette hiérarchie permet d'éviter les combats, de regrouper les plus faibles, et améliore la communication dans le groupe. Ces rituels culturels de soumission non seulement freinent l'agressivité de chacun, mais la redirigent vers des projets de groupe où la communication et la collaboration sont essentielles. Les loups ne pourraient chasser en bande s'ils ne respectaient pas une stricte hiérarchie.

Comment un geste agressif devient-il un geste de communication? Celui qui frappe du poing sur la table, au lieu de frapper le visage de l'autre, libère l'énergie de sa colère et fait comprendre qu'il n'en tolérera pas plus. Il s'agit d'un geste arrêté*. Ce geste n'est plus le lieu d'une agression, mais un signe qui transmet une information. Deux individus se croisent en forêt alors qu'ils se pensent seuls. Surpris, le premier lève la main pour frapper mais, voyant l'autre aussi surpris que lui, arrête son geste. L'autre fait de même: il l'imite afin de se soumettre et, ce faisant, communique ses bonnes intentions. Un rituel de soumission permettant de communiquer et de se voisiner vient de naître. Ceux qui l'ont adopté se sont battus moins souvent, réduisant leurs risques de blessures et le nombre de leurs ennemis. Lever la main en guise de salut est un coup arrêté dans son élan. De même que tendre le cou pour manifester son attention est un début de morsure, tout comme on montre les dents en souriant. Une poignée de main est un geste de préhension arrêté. Finalement, le salut des mains jointes suggère que celles-ci sont liées.

Lorenz imagine la constitution d'un rituel apaisant (de soumission) connu chez les Amérindiens: le cérémonial du calumet de la paix et de l'amitié. Voici en résumé son propos.

Deux chefs de tribus voisines sont convenus de faire une tentative de paix. Être disposé à parlementer pouvant s'interpréter comme un signe de lâcheté, ces deux guerriers qui se rencontrent sans armes sont embarrassés. Aucun ne voulant avouer sa gêne, ils s'avancent l'un vers l'autre dans une pose fière, voire provocante, se regardent fixement et s'assoient aussi dignement que possible. Et puis rien n'arrive, absolument rien. Chacun se sait déjà à moitié perdant s'il parle le premier. Mais rester assis, impassible, afin de ne pas trahir ses émotions, est inconfortable. Aussi est-ce un grand soulagement de pouvoir faire quelque chose et même de manifester une certaine indifférence devant la situation. Tous les fumeurs ont le même geste quand ils sont embarrassés ou nerveux: ils allument une cigarette. Donc, l'un des deux alluma sa pipe, qui n'était pas encore un calumet de la paix, et l'autre fit de même. Peut-être que le premier, déjà mieux disposé, lui a prêté la sienne? Les deux chefs devinrent plus calmes et cette détente fit aboutir leurs pourparlers. Peu importe comment le rituel se sédimenta au cours des générations; un geste d'embarras est devenu un rite qui eut force de loi pour les Amérindiens, au point où une attaque devenait impensable après avoir fumé le calumet.

Les rituels sont des traités et sont à la base de nos «bonnes manières». Bien sûr, nos sociétés modernes ont tellement évolué et notre densité urbaine est si élevée que notre cadence effrénée de production consomme toute notre agressivité. Nos rituels de soumission sont tellement codifiés que chacun est vainqueur à son tour. Les lignes d'attente, le feu rouge et les arrêts, les «je suis à vous dans un moment» sont autant de rituels où nous nous soumettons au «vainqueur». *Nous avons appris qu'à si peu perdre nous gagnions beaucoup.*

Il est aisé de montrer que la fonction des bonnes manières est d'assurer la conciliation entre les membres d'un groupe. De petits gestes rituels accompagnent l'entrée d'une personne dans une pièce ou encore la rencontre de quelqu'un dans la rue. Un simple «bonjour» ou un hochement de tête sont les réactions les plus utilisées. Si quelqu'un omet de procéder à ces petits rites en se comportant comme s'il était seul, il suscitera alors une colère et une hostilité (pas toujours manifestes), comme le ferait une attitude ouvertement agressive. Supprimer intentionnellement un rituel apaisant équivaut à manifester un comportement ouvertement agressif. Promenez-vous dans un lieu connu sans manifester de signes de reconnaissance, et vous aurez le loisir de le constater par vous-mêmes.

IV - La société humaine

L'être humain a plus d'instincts et de tendances que les autres animaux. Notre explosion démographique, notre compétition économique, notre course à l'armement ont pour fondements des comportements qui avaient à l'origine une valeur de survie pour l'espèce humaine. Le comportement humain *lu* par l'éthologue n'est pas la dénonciation d'un péché, mais bien l'analyse de l'excès ou de l'insuffisance dans l'utilisation de comportements qui permirent l'histoire humaine.

Plus d'un critique a souligné l'inutilité de la course contre la montre où nous épuisons nos forces à produire une société de *sur*consommation. Pourquoi ne pas abaisser la cadence? demandent-ils. Pourquoi ne pas prendre le temps de jouir de nos acquis? Simplement que, ce faisant, nous devrons négocier une énergie agressive restreinte à un tout petit territoire que devra investir la société des loisirs. Le jeu et le sport sont des luttes à mort où chacun ressuscite. Il est remarquable qu'à toutes les époques, depuis l'Iliade homérique, on trouve la trace dans les récits, chroniques et fictions, de l'engouement sans frein des soldats et mercenaires pour le jeu (le trictrac surtout). *Travailler moins nous obligera à jouer plus.*

La société humaine a permis de rediriger massivement l'agressivité concurrentielle en réseaux complexes de codes qui permettent de collaborer et de transformer nos armes de destruction en outils de fabrication. Le poignard est devenu couteau, scalpel, et même rayon laser. Cette transformation est si poussée que nous pourrions difficilement faire le parcours inverse et transformer nos outils en armes. Pourtant, nous sommes toujours ces animaux au sens aigu du territoire. Il suffit de traverser la cour du voisin, de couper court à une file d'attente, de prendre la place d'un autre à table, ou de saisir un objet qui ne nous appartient pas, d'être trop intime avec la copine ou le copain d'un(e) ami(e) pour que, soudain, ressurgisse cette ancestrale rage territoriale. Le développement sans précédent de rituels et d'outils conventionnels dans nos sociétés industrielles pose maintenant de sérieux problèmes à l'animal que nous sommes.

Nos centres urbains font face à une délinquance qui ne relève plus de la simple curiosité statistique. Les animaux les plus évolués, les mammifères en particulier, apprennent en imitant leurs aînés, surtout les plus élevés dans la hiérarchie. Le jeune lion ne vient pas au monde prêt à sauter sur la première antilope qui passera à proximité. De fait, il doit apprendre à utiliser ses griffes correctement et à chasser en groupe. Il doit aussi apprendre à respecter les rugissements des mâles et à s'éloigner, sous peine d'être tué. Une jeune femelle ouistiti, un petit singe d'Amérique, séparée de sa mère dès la naissance, ne nourrira pas sa progéniture. Donner à un jeune singe une nouvelle méthode plus efficace de cueillette de bananes n'aura aucun impact sur le groupe, car il faut d'abord qu'un singe dominant l'adopte. Dans nos sociétés modernes, la violence décroît en fonction de la richesse et de l'éducation, les aînés s'avérant des modèles attrayants à imiter. Mais dans les milieux pauvres et surtout dans les ghettos, les jeunes ne montrent aucun respect pour les rituels vénérés par leurs parents, comportements dépassés dans lesquels ils ne voient aucune utilité. Les rituels sont transmis par les *leaders*. D'une manière générale, la course à l'innovation rend si rapidement désuètes certaines techniques de travail (pensons à l'informatique) qu'il n'existe pas d'échange ou de transfert possible entre la jeunesse et les générations précédentes. Il n'est pas rare de nos jours qu'un professeur se trouve dépassé par l'évolution des idées et des découvertes dans son champ de connaissance avant même qu'il ait atteint la cinquantaine. Alors, les jeunes doivent redécouvrir entre eux des rituels leur permettant de vivre en communauté. Ce fut le cas exemplaire des *hippies* vers 1965. La délinquance systématisée des grandes villes résulterait d'un manque de figures dominantes, auxquelles se substitueraient de fugaces rock stars. Nos raisons sociales, dira Lorenz, inventent des moyens, mais ne peuvent inventer les buts. Par contre, si la connaissance ne change pas le fait que je veuille, elle modifie ce que je veux.

La complexité de nos outils sociaux engendre aussi des problèmes interculturels. Une anecdote fort connue raconte que des diplomates anglais furent reçus par leurs homologues chinois, vers 1842, dans le cadre de discussions autour d'un traité concernant l'île de Hong-kong. Les Anglais voyaient leur assiette vide constamment remplie. Ne voulant pas être impolis, ils s'efforcèrent de manger tout ce qu'on leur offrait. Laisser de la nourriture dans une assiette aurait pu signifier que le plat n'était pas apprécié. Mais cette forme de politesse se limite au volume de l'estomac. Il fallut bien qu'un invité finisse par repousser l'assiette offerte, ce qui eut pour effet de réjouir ses hôtes, ces derniers croyant qu'un invité devant une assiette vide n'avait pas mangé à sa faim. Si cette mésentente culturelle ne causa qu'un travail supplémentaire pour quelques cuisiniers, la suivante s'avéra tragique. Un policier canadien abat un conducteur haïtien, le prenant à tort pour un criminel activement recherché. Au-delà de toutes les justifications (difficulté de reconnaissance) et les critiques (racisme) émises au sujet de cette bavure policière, c'est un manque de compréhension des signes de soumission manifestés qui est en cause. En réponse au désormais célèbre *freeze* du policier, arme au poing (demande de soumission), le conducteur tend le bras vers ses pièces d'identité (sa manière de se soumettre). Le policier tire, croyant que l'interpellé tentait de prendre son arme (refus de soumission). Quiconque vient d'un pays soumis à une force policière dictatoriale (Haïti à l'époque) sait qu'il est préférable de s'identifier immédiatement, à la vue de tous, plutôt que de se retrouver isolé dans un poste de police (ce qui n'est pas le cas au Canada). Et pourtant, à long terme, il y a pire. Le Canada accueille chaque année des gens qui croient que le pouvoir religieux prime le pouvoir civil, ou que le droit qu'exercent les parents sur les enfants ne peut être contesté par quiconque, ou encore des personnes qui tiennent à des attitudes sexistes contestées en Amérique du Nord, comme la soumission de la femme à l'autorité de son époux. Qui les informe de ces différences culturelles?

Nous sommes pauvres en armes naturelles: nos ongles font de pauvres griffes, nos dents sont peu tranchantes, notre vitesse et notre force dérisoires. Nous usons d'armes afin de chasser nos proies, d'éliminer nos prédateurs et pour protéger notre espace personnel. Si un loup ou une colombe peuvent tuer d'un coup de croc ou de bec, ils respectent des rituels qui évitent ces agressions mortelles. Le loup dominé montre sa gorge, une colombe se tient à portée d'aile d'une congénère. La raison en est fort simple: le bec d'une colombe ne se rend pas jusqu'au bout de son aile déployée, chacune est donc à l'abri d'une attaque. Belle leçon pour qui réfléchit à la colombe comme symbole de la paix. Par contre, le lièvre ou le chimpanzé ne possèdent pas de tels rituels, pas plus qu'ils ne peuvent se tuer en quelques instants. *Il faut déplorer que l'homme n'ait pas une mentalité de carnivore, remarque Lorenz, car armer un humain de la possibilité de tuer, surtout sans qu'il ressente l'impact de son geste, revient à permettre l'existence d'un puissant et froid meurtrier qui n'a pas encore appris à reconnaître sa victoire.*

L'épée, l'arc ou le fusil équivalent à l'apparition spontanée d'un organe qui bouleverse nos rituels apaisants. Nos cow-boys américains, leur arme à la cuisse, ont appris qu'un pistolet en main tuait. Ils ont fini par s'entendre sur un signe de soumission très clair: porter la main à sa hanche oblige l'autre à manifester des intentions pacifiques. Ces hommes n'avaient donc plus à dégainer, ils se contentaient de *menacer* de le faire. L'organe artificiel d'agression était dorénavant socialisé. Mais nos agressions outillées sont souvent plus subtiles. La sonnerie du téléphone est un cri sans avertissement poussé au cœur de notre territoire. Il suffit d'observer l'énervement de certaines personnes quand le téléphone s'active, la course vers le récepteur, pour comprendre que cet appareil de communication peut élever rapidement le seuil d'agressivité de l'individu interpellé. Ces extensions agressives que sont nos armes peuvent servir de soupape aux pulsions animales dans nos sociétés d'ailleurs trop armées. Nos armes ne lient pas l'émotion et l'acte. Des gens très doux partent l'automne pour la chasse. De jeunes pilotes bombardent des villes sans entendre le moindre gémissement. Notre technologie brise l'équilibre entre attaque et soumission. Nous pouvons accomplir des meurtres de masse, phénomène inconnu chez les carnassiers. Si la remarque vous semble banale, imaginez que chaque fois que vous mangez un poulet, vous ayez dû lui couper vous-mêmes le cou et le plumer. Que pour manger du bœuf ou du porc, il vous aurait fallu d'abord égorger et saigner l'animal. *Tandis que prendre un sandwich ne suscite aucune émotion agressive.*

Pourquoi nous rappeler nos racines animales? Parce que cet animal est en nous: il lui faut un territoire, il est agressif envers ses concurrents et il peut user d'armes modernes terrifiantes. Le XXe siècle fut le siècle des tentatives de génocide. Nos sociétés hautement ritualisées ne garantissent pas à nos descendants la transmission d'une manière pacifique de vivre. Des phénomènes urbains montrent clairement que, dès que nos rituels s'estompent, le retour à des comportements plus primitifs n'est plus viable. Quand une équipe sportive gagne «le championnat» en Amérique du Nord, que ce soit au hockey, au basketball, au baseball ou au football, le «défilé des vainqueurs» entraîne *systématiquement* des actes de vandalisme. Notre société moderne ne peut plus gérer de telles manifestations agressives, même symboliques. Accepter l'animal en nous, c'est commencer à le comprendre, accepter d'avoir à apprivoiser cette technologie luxuriante qui envahit notre univers et menace nos origines.

V - Synthèse

L'être humain est un animal grégaire usant de rituels qui ont transformé ses armes en outils collectifs.

L'être humain est un animal raisonnant qui peut transformer ses armes en outils de travail, car ses rituels complexes d'apaisement et de soumission lui permettent de détourner presque toute son agressivité territoriale vers le travail, tout comme les fourmis! L'être humain est donc un animal ayant pris en main son évolution, au risque de créer sa perte. Les distinctions entre mâle et femelle ne tiennent qu'à la reproduction et s'effacent, une fois celle-ci mise en veilleuse.

Si la conscience joue un rôle, ce dernier apparaît au cœur du territoire urbain, comme outil de réflexion dans un contexte «dénaturé». Notre ferveur morale et notre rationalité sont insuffisantes pour comprendre la nature humaine. Par contre, la connaissance du mécanisme même de l'agression, permet à l'être humain, tout comme le souhaitaient Socrate, Freud et Sartre, d'arriver à la connaissance de soi, première et ultime étape vers le salut de l'espèce. C'est essentiellement ce qui nous distingue des autres espèces animales.

Notre liberté se manifeste dans notre capacité à transformer nos armes en outils éducatifs, modifiant ainsi nos rapports aux autres, d'abord rapports d'agression et de domination, en rapports d'éducation et de collaboration. Cette prise en main se concrétise dans nos connaissances et nos croyances, nos lois, notre morale et nos institutions, qui agissent en tant que rituels apaisants et éducatifs.

Le sens de la vie consiste en la survie de l'espèce. Mais il ne s'agit plus de privilégier la reproduction des plus forts, mais bien d'assurer les conditions de persistance de la société et de ses travailleurs. Cette lutte pour la survie nous fournit un bien pauvre destin. Peu importe, l'urgence de cette survie se manifeste en nous en temps de crise et chacun est alors à même de constater son impériale puissance. L'être humain est un «accident» de l'évolution ne répondant à aucune volonté, à aucun plan, et rien dans l'univers ne s'opposera à sa fin.

VI - Critique

D'aucuns se sont dits surpris de ne pas observer les comportements agressifs décrits par Lorenz chez certains groupes animaux, des singes en particulier. Cette critique me semble mal venue, car ces singes ont peu d'armes agressives et, comme ils peuvent créer des rituels efficaces, ils ont appris à travailler en groupe. La théorie semble confirmée.

Si plus d'un se demande jusqu'à quel point il est pertinent de transférer des propriétés animales à l'homme, ce dernier usant massivement des outils et du langage, peut-être est-il plus fondamental de se demander s'il est justifié de fonder les attitudes humaines sur la seule souche animale. Il est bien connu maintenant que l'assemblage de parties en un montage unique fait souvent apparaître des propriétés absentes de chacune des parties (c'est le principe de la propriété dite émergente).

Un phénomène typiquement humain que semble évacuer Lorenz (tout comme Skinner) est la possibilité de raisonner au-delà de sa vie, d'aller «à la limite» ou jusqu'à l'absurde. Lorenz remarque qu'un prédateur s'éteindra avant d'avoir tué toutes ses proies, de même que les baleiniers feront faillite avant d'avoir exterminé toutes les baleines. *Faut-il rappeler que les dites baleines sont en voie de disparition?* Comment l'humain en arrive-t-il à tricher avec cette loi de la nature? Pour ce qui est d'observer les comportements humains, Lorenz est un amateur éclairé, mais pas un spécialiste.

S'appuyer sur les instincts et sur le patrimoine génétique laisse place à une position réactionnaire où est valorisé un romantisme du «jadis». Conserver les connaissances acquises est plus important que d'en acquérir de nouvelles, affirme Lorenz. Mais c'est en produisant de nouvelles connaissances qu'on infirme, confirme ou complète les anciennes.

On trouve aussi chez ce penseur des métaphores douteuses. Si une ville qui croît sans tenir compte du milieu fait songer à un développement de cellules cancérigènes insensibles aux besoins de l'organisme hôte, peut-on s'autoriser alors à parler de «cancer urbain»? Il demeure que ce penseur de l'animal a produit une critique sensible et déchirante de notre modernité. Cela fait réfléchir.

Exercice

En vous inspirant de la fonction de l'agression et de la possession d'un espace à soi, expliquez le rôle de la mode dans nos sociétés modernes. Par mode, nous entendons toute pratique popularisée qui tient lieu d'uniforme, ne serait-ce que le port d'une casquette ou d'un anneau dans le nez, et non les spectacles télévisés. D'ailleurs, pourquoi sommes-nous si habillés?

Rappelons-nous que la tenue vestimentaire distingue l'individu de la masse, mais l'identifie à un groupe.

Chez les mammifères qui vivent en groupe, les faibles sont abandonnés aux prédateurs, parfois chassés ou négligés. Dans nos sociétés modernes, il importe que chacun survive et puisse se reproduire. Commentez certains impacts sur notre civilisation de cet «humanisme» contemporain qui défie la sélection naturelle.

Médiagraphie

ARMEN, Jean-Claude: *L'Enfant sauvage du grand désert*, Delachaux et Nestlé, 1971.

DARWIN, Charles: *De l'origine des espèces*, traduction d'Edmond Barbier, La découverte, 1985.

MORRIS, Desmond: *Le Singe nu*, Grasset, 1969.

LORENZ, Konrad: *L'Agression: une histoire naturelle du mal*, Flammarion, 1969.

LORENZ, Konrad: *Les Huit Péchés capitaux de notre civilisation*, Flammarion, 1973.

7

Marx et l'économie politique

Une humanité à matérialiser

Le poisson dans son bocal croit que l'univers baigne dans l'eau. Il ne sait pas que la plus grande partie du monde se situe au-delà de la vitre et qu'il n'en voit qu'une image déformée par le milieu aqueux dans lequel il baigne. Le travailleur moderne existe dans l'aquarium urbain et sa vision déformée se nomme idéologie*. Mais là s'arrête l'analogie, car il serait faux d'affirmer que ce prolétaire est heureux... comme un poisson dans l'eau.

I - L'homo faber

L'être humain produit ses conditions de subsistance en travaillant. Tout individu possède une force de travail* libre, intellectuelle, verbale et musculaire, qu'il applique à diverses substances afin d'en modifier la forme, l'ordre ou l'assemblage. Le résultat est un produit ou un service, mais toujours une nature modifiée par le travail humain. En s'entourant de ces produits et de ces services, l'être humain réaménage son milieu et sa manière de travailler, surtout parce qu'il se sert des services et produits déjà fabriqués comme outils et matériaux dans le but de transformer la nature pour qu'elle réponde plus efficacement à ses besoins. Le premier acte historique de l'humanité fut donc la création de moyens outillés afin de satisfaire ses besoins. L'équation de tout travail humain s'exprime ainsi:

Force de travail + outil + matériaux -> produit ou service (nature modifiée)

Le travail n'est pas chez Marx une servitude incontournable qu'il faudrait laisser aux esclaves, mais le lieu de réalisation du génie humain, l'outil de sa liberté. Pourtant, dans le capitalisme sauvage des premières industries, le prolétaire* travaille jusqu'à seize heures par jour, six jours par semaine; des enfants sans instruction sont embauchés parfois dès l'âge de six ans; l'espérance de vie des travailleurs n'atteint pas quarante ans, et leurs salaires misérables n'offrent qu'une vie misérable. Ce monde injuste de l'industrie fut le sinistre tableau qui chagrinait un Marx instruit et lucide, journaliste en plus. Entre sa vision idéale du travail et l'exploitation concrète des ouvriers, il lui fallait comprendre le gouffre qui se creusait. C'est l'histoire humaine qui en raconte la formation. Ce n'est plus celle des grandes idées ni des grands principes, ou encore celle dictée par l'action des grands hommes, elle est celle, modeste mais persistante, de notre outillage.

Qu'est-ce qu'un outil? Prenons le levier, une robuste branche d'arbre fera l'affaire. Afin de déplacer une pierre trop lourde pour être soulevée ou roulée, il suffit d'appuyer notre branche contre la pierre, en la bloquant à la base avec une petite pierre, puis de pousser vers le bas. La force appliquée à une extrémité est multipliée par la longueur du levier à l'autre bout. Notre outil a-t-il rendu son utilisateur plus fort? Non, il a simplement amplifié cette force au point de contact avec la pierre. *Un outil est un amplificateur de force de travail.* Pour mesurer cette amplification, il suffit d'imaginer la force ou la taille d'un individu qui aurait déplacé la pierre sans l'aide d'un outil. Les premiers explorateurs de l'île de Pâques firent un raisonnement analogue en voyant les énormes statues de pierre taillée qui se trouvaient près des rives. Ils conclurent que l'île avait été peuplée de géants, car ils ne découvrirent aucune trace d'outils.

Examinons d'autres cas afin de bien saisir ce qui entre en jeu dans l'utilisation d'outils. Il suffira de comparer le résultat obtenu avec celui qu'obtiendrait un humain non outillé pour comprendre ce qui se passe, soit quelle force est amplifiée. Une bicyclette (ou un cheval) permet de se déplacer plus vite. Ici, c'est la musculature des jambes qui est amplifiée. Imaginez un être humain pouvant courir à plus de 100 kilomètres/heure durant toute la journée. C'est ce qui est rendu possible par l'automobile, outil motorisé hautement performant. D'autres amplifications surprenantes meublent notre quotidien. En autant qu'on lui donne le nom et l'adresse de quelqu'un, un individu peut nous fournir son numéro de téléphone. Dispose-t-il d'une mémoire prodigieuse? Non, simplement d'un annuaire téléphonique et d'un ordre alphabétique. Tout classeur agit de la même manière. L'outil le plus anodin est probablement le stylo à bille. Un copiste du Moyen Âge serait étonné que n'importe qui de nos jours puisse étendre de l'encre sur du papier avec autant de précision. Quiconque a utilisé une plume et un encrier sait combien il est difficile de puiser le liquide, de le transporter au-dessus de la feuille et d'y déposer son contenu sans produire ni taches ni bavures. D'autant plus que, d'un mot à l'autre, l'encre s'amenuise et la trace pâlit. Les stylos modernes amplifient notre dextérité manuelle, tout comme le téléphone est un titanesque porte-voix. Mais ce sont surtout les services urbains dont dispose le citoyen moderne qui en font un surhomme du travail. Réseaux d'information, services publics, experts en tout genre et signalisations multiples nous facilitent considérablement la vie. Pensez simplement à ce que serait la vie urbaine si les rues n'étaient pas nommées et si les maisons n'étaient pas numérotées. Nous avons *formaté* le tissu social.

En développant ses outils, l'humain s'est progressivement dissocié de la vie animale et a engendré sa propre histoire: celle de l'évolution outillée (et, pour Marx, celle des classes sociales qu'elle définit). Cette évolution a progressivement transformé nos rapports avec la nature tellement qu'il est devenu rare de rencontrer en milieu urbain des formes de vie autres qu'humaines ou associées par esclavage ou dépendance à l'être humain (chats, chiens, pigeons). Ce faisant, l'être humain s'est modifié physiquement et intellectuellement. Son corps s'est adapté à la vie sédentaire, il a délaissé la force musculaire pour l'intelligence et l'aptitude à communiquer. Les individus se sont regroupés et leur dépendance grégaire s'est accentuée en transformant leurs aptitudes. Le citoyen des grandes villes dépend essentiellement de produits et services spécialisés réalisés par d'autres. Au point où, si une catastrophe naturelle survenait, il faudrait concentrer nos ressources sous peine de voir mourir une grande partie des sinistrés. Vivre dans le monde urbain consiste à interagir avec les uns (au travail) afin de répondre aux besoins des autres. La possession d'outils a aussi entraîné le regroupement des travailleurs et opposé divers groupes les uns aux autres, créant une autre histoire, politique celle-là, qui déborde notre propos.

L'outil s'est introduit entre l'être humain et la nature. Il a rendu l'individu plus performant, transformé la nature, en y gravant des traits humains, de sorte qu'un extraterrestre pourrait reconstituer l'anatomie et le métabolisme humains en étudiant l'organisation d'une ville déserte. La simple disposition d'une classe suffirait à mesurer nos besoins visuels (néons et tableau), notre structure flexible (chaise et pupitre), ainsi que notre capacité et nos besoins en oxygène (le volume d'air de la pièce). Bref, l'être humain est un être (*homo*) qui fabrique (*faber*) son monde.

II - Mode de production, valeur d'échange* et monnaie*

La course aux outils a produit le plus complexe d'entre tous, la ville. Tout travail, avons-nous précisé, implique une action sur l'environnement. Si nous additionnons toutes les forces de travail et toutes les ressources d'un pays, nous obtenons l'équation suivante :

Population active + technologie + matière première -> PNB

Ce PNB, le produit national brut, est la somme des biens fabriqués, en tenant compte des exportations et des importations. En divisant ce produit par la population, nous obtenons le niveau de vie moyen: le nombre d'objets et de services qu'obtiendrait chaque citoyen si la production nationale était distribuée également (et non équitablement). L'organisation des travailleurs et de la technologie qui parvient à produire le PNB est le mode de production de ce pays.

Pourquoi cette course aux outils? C'est ici qu'intervient la notion de valeur d'échange dont les implications psychologiques apparaîtront plus loin.

Les individus sont naturellement isolés et concurrents. Chaque fois qu'un individu devient un intermédiaire entre mes besoins et les moyens de les satisfaire, je dois moi aussi devenir un intermédiaire pour lui, sinon je lui serais redevable. Nous devenons alors interdépendants, mais cette dépendance n'est pas politique, seulement sociale. Le travail en collectivité engendre donc le développement social des êtres humains concrétisé par la valeur d'échange des objets. Tout objet fabriqué, tout service rendu l'est parce qu'il est utile. *L'utilité d'une marchandise n'est pas en rapport direct avec son prix.* Une voiture de course ou une couronne de diamants valent très cher, mais ne sont d'aucune utilité dans le quotidien si vous n'êtes ni roi ni pilote de course. Par contre, l'eau et le pain ne valent presque rien et sont de première nécessité. D'autres produits, les médicaments en particuliers, sont rarement utiles, mais essentiels quand nous en dépendons. Tout objet fabriqué l'est pour son utilité; les marchandises produites en série n'échappent pas à cette contrainte.

Mais il faut échanger ces biens. Un agriculteur cultive des carottes, un boulanger fait du pain et un ébéniste fabrique des meubles. Chacun a besoin de carottes, de pain et de meubles. Chacun s'est spécialisé, a développé des outils plus efficaces qu'il manie avec art, et chacun produit sa spécialité en grande quantité et plus efficacement que si chacun devenait tour à tour cultivateur, boulanger et ébéniste. Sauf qu'il faut maintenant échanger ces biens contre d'autres. Combien de pains ou de carottes vaut une armoire? Comme on ne peut comparer l'utilité de ces produits, il faut leur attribuer un prix. Mais notre monnaie n'est pas apparue d'un coup, elle résulte d'un long processus d'échange des marchandises qu'il nous faut maintenant esquisser.

Dans une société simple, dit Marx, chacun jouit d'un niveau de vie équivalent et peut estimer la charge de travail qu'exige la production de chaque bien. Si, selon une moyenne annuelle, notre cultivateur produit cent carottes par jour, que le boulanger fabrique dix pains et que l'ébéniste assemble une armoire, ces travailleurs échangeront le produit de leur labeur selon la table des valeurs d'échange suivante:

1 carotte	= 1/100 de jour		
1 pain	= 1/10 de jour	= 10 carottes	
1 armoire	= 1 jour	= 100 carottes	= 10 pains

Donc, une armoire «vaut» dix pains et cent carottes. Il s'agit bien sûr d'un temps moyen de fabrication, par un artisan d'habileté moyenne usant d'un procédé standard. Nous avons omis d'intégrer le coût des outils et des matériaux, mais le principe demeurerait inchangé, les outils et matériaux ont eux aussi un temps de fabrication qu'ils transfèrent à la marchandise produite. Si une nouvelle technique de travail permettait au boulanger de produire vingt pains par jour, la table d'échange s'ajusterait comme suit:

1 carotte	= 1/100 de jour		
1 pain	= 1/20 de jour	= 5 carottes	
1 armoire	= 1 jour	= 100 carottes	= 20 pains

Quatre remarques.

• *Premièrement*, quelle est l'utilité pour le boulanger d'introduire cette nouvelle technique? Un meilleur outillage réduit l'effort. En outre, en abaissant le temps de fabrication, il permettra à ce boulanger d'écouler plus aisément sa marchandise que ses concurrents et, à long terme, chaque boulanger devra changer sa manière de travailler sous peine de fermer boutique. En fin de parcours, tous les autres producteurs deviendront plus riches, car ils ne devront échanger qu'un vingtième de jour de travail plutôt qu'un dixième afin d'obtenir un pain. Dans ce système d'échange, la course à l'évolution de l'outillage est payante à court terme pour l'innovateur, et rentable pour tous à long terme.

• *Deuxièmement*, la fluctuation de la valeur d'échange du pain ne changera pas le rapport qu'entretiennent entre eux les autres produits (une armoire vaut toujours cent carottes).

• *Troisièmement*, dans ces échanges personne ne fait de profit. Le cultivateur échange le produit de sa semaine de travail contre des équivalents. Chacun, en se spécialisant, abaisse la consommation de temps de travail humain requis afin de réaliser son produit ou son service. *Le profit est collectif.*

• *Finalement*, seul le temps de travail des individus libres vaut quelque chose. Un esclave ou un cheval de trait ne possèdent pas le fruit de leur labeur, ils ne font qu'amplifier la force de travail de celui qui les utilise. Ce ne sont donc que de simples outils.

Pourquoi la monnaie (l'argent) est-elle apparue? On s'est aperçu de ce que l'emploi d'une valeur d'échange étalon serait pratique: tous les autres produits seraient comparés à cet étalon de mesure. L'or et l'argent s'avérèrent les meilleurs étalons, pour plusieurs raisons. Ces métaux sont d'une grande utilité. L'argent produit des soudures parfaites et l'or est malléable, résistant et inoxydable. De plus, ces métaux peuvent être coupés en quantités fixes, chacun peut donc en transporter des pièces de diverses valeurs (diverses quantités de temps). Leur valeur (temps de travail contenu) est relativement stable. Les civilisations modernes créèrent des banques où l'on pouvait stocker nos réserves de monnaie; on imprima des «billets de banque» que le porteur pouvait échanger contre de l'or ou de l'argent. Les billets que nous possédons, notre argent, représentent une infime portion du temps de travail qu'accomplit un travailleur dans notre société. L'argent est la mesure du temps social, mesure relative à la manière de produire. La somme des valeurs produites par un pays est précisément son produit national brut. Voilà pourquoi les pays industrialisés sont plus riches: le temps humain consacré à la fabrication d'un produit y est moindre que dans les pays dits sous-développés, ces derniers usant d'une technologie moins efficace. Ce qu'on importe des pays sous-développés contient moins d'heures de travail pour notre manière de travailler, et ce qu'exportent les pays industrialisés vaut plus d'heures de travail du tiers monde.

La course à l'enrichissement individuel devient un enrichissement collectif quand les technologies nouvelles se répandent. L'évolution des modes de production apporte une quantité de produits et services de plus en plus grande à chaque participant. Jusqu'au jour où une rupture survint.

III - Le travail à la chaîne et la production de masse

La chaîne de montage est la forme outillée de la production de masse. Elle s'est manifestée d'abord dans l'industrie vestimentaire, que ce soit dans la récolte du coton par les esclaves étatsuniens ou dans les filatures et les ateliers de tissage anglais. La production en série exige de fractionner les étapes du travail artisanal et d'en lier les parties en une chaîne. Ce travail fragmenté mettra des chaînes à la capacité créatrice ouvrière et aliénera presque totalement leur créativité.

Le travail exécuté par chaque ouvrier est simple et se limite à une portion du produit fini. L'organisation de la chaîne assure que, à la fin, de ces fragments rassemblés résultera un produit. La chaîne exige beaucoup plus d'opérations qu'un travail artisanal, mais leur temps d'exécution est si minime que leur somme est comparativement dérisoire. En autant bien sûr qu'on produise en grandes quantités afin d'amortir le coût de construction de cette chaîne de montage.

Prenons un cas concret : la fabrication d'un chandail. Le modiste qui est à son compte aurait choisi un modèle, en aurait dessiné la coupe, il aurait ensuite choisi le tissu, puis tracé ses plans de coupe. Finalement, il aurait assemblé le tout et posé sa griffe. Sur une chaîne de montage, les choix des modèles et des tissus sont déjà faits. Chaque ouvrier s'occupe d'une opération précise. Sa tâche exécutée, son «produit» poursuit le parcours de la chaîne et, progressivement, les parties du chandail sont coupées puis cousues. La formation que doit suivre un ouvrier, son «diplôme», peut ne durer que quelques minutes. Cela permet aux ouvriers expérimentés qui supervisent le travail de remplacer n'importe quel ouvrier sur le parcours. Cette fragmentation du travail non seulement accélère la formation des travailleurs, mais augmente aussi la vitesse d'exécution. Bien sûr, l'ébéniste plantera un clou ou coupera une planche bien plus rapidement qu'un novice, mais personne ne peut rivaliser avec un ouvrier qui exécute les mêmes gestes jour après jour. D sorte que le développement d'outils motorisés et de robots industriels a rapidement permis de remplacer bon nombre d'ouvriers par des outils plus résistants, plus fiables et infiniment plus serviles.

L'ouvrier de l'industrie ne travaille pas pour répondre à ses besoins ou à ses buts immédiats, ni à ceux de son entourage, parfois même pas à ceux de sa localité. Quand vous achetez une bricole *made in China*, vous demandez-vous quel intérêt ces travailleurs avaient à la produire? Il s'ensuit une perte d'intérêt à l'égard du travail bien fait et une tendance à l'absentéisme. Le travailleur attend sa paie et la fin de semaine pour s'adonner aux activités qui l'intéressent. Je me souviens d'une publicité qui montrait un individu se levant un samedi à cinq heures du matin pour aller pêcher. Il mentionnait qu'il ne se lèverait jamais à cette heure matinale pour aller travailler. Alors, pourquoi travailler dans ces conditions?

IV - Objectivation et aliénation**

Reprenons notre petite histoire, mais cette fois du point de vue de l'individu.

L'objectivation est la capacité que possède tout être humain normal de se réaliser dans un objet. L'artisan qui choisit son bois, qui taille les planches selon le plan ébauché, qui assemble les parties et applique le vernis, obtient un produit qui reflète ses capacités manuelles, sa maîtrise de l'outillage, son imagination, son expérience et sa créativité (se référer au film de Gosselin, dans la médiagraphie). L'objet devient le miroir de son art, le créateur devient objet. Une chaise est plus qu'un ensemble de pièces; un roman, plus qu'un tas de mots; et un logiciel, autre chose qu'un ensemble d'instructions. Il a fallu que quelqu'un agence ces pièces, ces mots et ces instructions pour en faire ce tout cohérent et utile que sont la chaise, le livre et le logiciel. En ce sens, l'humain fabrique un monde d'objets à son image, un environnement ordonné pour son esprit, adapté à ses besoins.

Ce travail libre et créateur implique une dépossession, une nécessaire perte de soi. L'écrivain qu'on interviewe à propos de son roman n'est plus celui qui a écrit le livre. Cet auteur s'est épuisé dans l'écriture, ce roman fait partie de son passé, il rédige actuellement autre chose. L'acteur qui reçoit un prix voit un extrait de sa performance à l'écran, mais il n'est plus ce personnage. Il en va ainsi de tout labeur créateur. Une fois le travail accompli, l'objet se tient devant nous, miroir de notre capacité de réaliser, miroir du passé. Si nous étions encore et seulement ce que notre produit exprime, nous ne serions plus aptes à produire. En ce sens nous dirons qu'en exprimant notre art dans le travail nous l'*aliénons* dans l'objet. Dans les sociétés modernes où l'on admet l'existence de la folie, on dira qu'un individu est «aliéné» s'il est différent de ce qu'il devrait être normalement, si on ne le «reconnaît» plus, d'autant plus aliéné s'il ne se reconnaît pas lui-même. L'aliénation au travail dans la production de biens et de services est nécessaire, selon Marx, elle est même un gage de qualité. Mais l'aliénation présente dans l'industrie moderne est la forme ultime de cette dépossession; elle prive l'ouvrier de l'expression de son art en *objectivant le processus même du travail.*

L'ouvrier rivé à son poste sur une chaîne de production n'use ni de créativité ni de connaissances; sa spécialisation s'apparente à une robotisation. Sur notre chaîne de montage mentionnée plus haut, un contremaître muni d'un interrupteur pouvant activer et désactiver la chaîne pourrait tour à tour exécuter la tâche de chaque ouvrier et obtenir en fin de compte un chandail. Si le modiste pouvait voir dans son produit le résultat de son objectivation, ce contremaître ne le peut pas. Alors, où sont passées la créativité et l'originalité? D'où provient cette objectivation fantôme que manifeste le produit fraîchement sorti d'une chaîne? Elle se trouve dans le montage ordonné des outils. La force de travail humaine s'y est aliénée, il n'en reste que la force brute. Qui a fabriqué ce chandail fait par un contremaître muni d'un interrupteur? Personne, ou le génie humain en général. Ce chandail représente une organisation du travail où l'artisan producteur a été sacrifié aux exigences de la productivité. L'humanité s'y trouve matérialisée. Les séquelles psychologiques de cette évolution de la manière de travailler et de distribuer sont multiples; elles sont essentielles à la compréhension du monde moderne.

Le méga outil qu'est la ville devient lui aussi un objet d'aliénation dont se désintéresse le travailleur. Les transports publics, les édifices gouvernementaux, les écoles publiques, les bibliothèques et autres services, pourtant la propriété de tous, sont souvent victimes de pillage et de vandalisme. Nous ne voyons plus en quoi c'est notre propre bien que nous attaquons.

La production de masse contemporaine est-elle une nécessité? L'aliénation qui en résulte est-elle issue d'un manque de sens communautaire ? Du fait que nous ne ressentons pas notre appartenance au groupe? Tout travail qui peut être exécuté par à peu près n'importe qui (dans une spécialité) ne comporte pas d'objectivation; seule la fierté de groupe, de «marque», peut être facteur de cohésion. Marx voyait dans le communisme la solution à ces maux, mais ce régime politique n'a pas brisé la compétition entre les individus. Nous comparons parfois nos centres urbains à des fourmilières; pourtant, l'image est fausse. Nos sociétés industrielles font de l'argent et du profit personnel nos principaux objectifs. Grâce à l'évolution de nos outils, grâce à l'amplification de notre force de travail, *nous sommes passés du travail individuel au travail collectif, mais non de l'intérêt individuel à l'intérêt collectif.*

Des mécanismes sociaux se sont installés de manière à redistribuer l'argent des particuliers, afin d'assurer un niveau de vie minimal acceptable pour chacun. Dès le *Factory Act* au XIXe siècle, nos lois ont limité les droits des patrons et le nombre d'heures de travail. Nos syndicats ont obtenu que soit établi un salaire minimum, les régimes de retraite et le paiement des heures supplémentaires. Nous disposons de l'assistance sociale, de l'assurance-emploi (le chômage), de soins de santé et d'écoles publiques. Les impôts et les taxes sont proportionnels à nos revenus. Pourtant, chemin faisant, l'aliénation forcée du travail a fait son œuvre: *devant nous se tient un monde de marchandises que nous convoitons, des produits qui objectivent un mode de production anonyme où nul citoyen ne se reconnaît.* Marx avait saisi l'importance du phénomène, s'y attardant dès le premier chapitre du *Capital*, une œuvre inachevée de plus de quatre mille pages où il introduit cette relation contemporaine du producteur à son produit: une relation fétichiste. Pourquoi l'acceptons-nous, cette aliénation? Parce que nous la vivons de l'intérieur, et que le regard que nous posons sur nos conditions de vie est idéologique.

V - L'idéologie

L'histoire du développement des outils entraîne donc le développement des sociétés. L'ensemble des travaux exécutés dans un pays, ainsi que les relations de domination entre travailleurs et patrons, constituent une manière de travailler en groupe, soit un mode de production. Ce mode change non seulement ce que nous sommes individuellement, mais aussi des comportements aussi primitifs que notre manière de manger, de dormir, de copuler ou de déféquer. Tous ces comportements sont dorénavant appris socialement. Quand vous regardez un film qui prétend à une reconstitution d'un bal royal au XVIIe siècle, par exemple, vous appréciez les costumes, le décor et la musique; pourtant il vous manque une donnée fondamentale : l'odeur. Pas de déodorants ou de puissants savons, ni de bain quotidien, ni de shampooing. Et derrière ces somptueux rideaux devant lesquels gambadent les danseurs on trouvait, à l'époque, et non dans le film, des pots que nous avons remplacés par des «toilettes», des installations sanitaires. Cela explique pourquoi aucune scène de «film de cape et d'épée» ne se passe en ces lieux ou leur équivalent d'époque. Sur ces activités, nos ancêtres tiraient le rideau.

Il y a plus important encore. Par-delà notre corps, nos relations à la nature et nos manières de vivre et de travailler, le mode de production adopté affecte aussi notre vision de la réalité et notre conscience de soi. D'où cette célèbre remarque de Marx: «Ce n'est pas la conscience des hommes qui détermine leur être, mais plutôt leur être social* qui détermine leur conscience.» Le résultat forcé de cette vision qu'a le travailleur de sa condition, Marx la nomme idéologie. Afin d'éclairer cette notion subtile, examinons quelques cas de jugements reliés à l'idéologie. Il ne s'agit pas de condamner ces visions, mais d'en faire remonter les sources jusqu'à l'organisation du travail.

Chacun a son opinion quant à la liberté, l'intelligence et la beauté. Nous naissons libres, notre *Charte des droits et libertés* nous l'assure. L'intelligence et la beauté relèvent à la fois de la loterie génétique et d'un travail personnel. Nous voyons chaque jour des enfants nés de parents peu instruits obtenir des diplômes universitaires. De même, la télévision nous apprend que des êtres ravissants avaient des parents ordinaires et que la progéniture d'une vedette de cinéma est rarement à la hauteur de nos attentes. Ces convictions que nous partageons au sujet de la liberté ou de l'intelligence sont le produit de nos observations et de notre manière de juger. Or, ces observations dépendent de notre manière de travailler. Nos opinions au sujet de la liberté, de la beauté ou de l'intelligence sont les produits de notre idéologie nord-américaine. Pour nous en convaincre, voyons quelles observations sous-tendait l'idéologie médiévale (ayant cours du VIIIe au XIVe siècles, en Europe occidentale). On naît seigneur ou serf, et cette situation à la naissance détermine nos obligations, nulle liberté ne les accompagne. Un serf ne peut quitter le domaine de son maître sans permission, pas plus qu'un seigneur ne peut échapper à ses obligations. Quant à la beauté et à l'intelligence, le travail exténuant et la pauvreté de l'alimentation du paysan nous assure qu'il sera généralement bête et laid la trentaine approchant. D'ailleurs, l'exception confirme la règle, celui qui manifeste intelligence ou beauté doit être bâtard ou fils de bâtard, le sang d'une noble lignée circule dans ses veines.

On le voit bien, notre jugement repose sur nos conditions de travail. Examinons d'autres cas simples. Qu'est-ce que le métro? Un moyen de transport pour les masses ouvrières, dira un riche industriel. Un moyen de transport économique, pratique et intelligent, affirmera le fonctionnaire qui l'utilise afin d'atteindre un centre-ville achalandé. Pourtant, il demeure un luxe occasionnel pour l'assisté social et une dépense non négligeable pour un étudiant. Qu'est-ce qu'un billet de loterie? C'est le régime de retraite du pauvre. Pensez-vous qu'un médecin prospère ou un riche commerçant espère assurer son futur en tentant le hasard? Non, son avenir est entre ses mains. Mais, pour le travailleur peu éduqué, la loterie offre plus de chances de richesse que son boulot. Ce n'est pas peu dire. Nos publicités aussi véhiculent de l'idéologie. Une annonce de bière montre un homme costaud à la peau bronzée, un travailleur de la construction, qui affirme que boire cette marque de bière, c'est être un «vrai» homme. Pourtant, ces travailleurs sont souvent exploités, car engagés au noir. N'ayant pas d'instruction, ils travaillent de leurs bras, sous un soleil qui leur brûle la peau. Leur salaire ne leur permet pas de boire autre chose que ce «champagne du pauvre». Ici, l'idéologie publicitaire renvoie une image en miroir.

Un dernier exemple, plus près des préoccupations de Marx. Quand les premiers syndicalistes investirent de force les usines afin de convaincre les ouvriers de s'associer, les travailleurs se rebutèrent. On peut résumer leur résistance en une maxime idéologique*: on ne mord pas la main qui nous nourrit. Les syndicalistes expliquaient que c'est le travail salarié qui fait fonctionner les usines et que c'est par l'exploitation salariale des employés que les patrons parviennent à vivre dans l'abondance. Mais il s'agissait d'un discours idéologique issu d'un milieu intellectuel. L'ouvrier voyait chaque semaine son patron lui offrir l'occasion de travailler en fournissant l'outillage, l'expertise et les matériaux. Chaque semaine, il *recevait* sa paie *en mains propres.* Sa maxime idéologique coïncidait avec ses observations; sa manière erronée de juger, selon le militant syndicaliste, correspondait à sa manière de travailler. La conscience collective n'a pas de réalité par elle-même, elle est le plus souvent l'expression de l'idéologie de la classe dominante. En bref, *l'idéologie est une manière de juger notre situation dans le mode de production.* Une manière de concevoir notre rôle de façon à l'accepter, y compris les injustices et inégalités dont nous prenons conscience.

VI - Le fétichisme de la marchandise*

C'est le fait d'avoir recours à la valeur d'échange d'un produit étalon qui a développé l'attitude fétichiste en société marchande. Avec le temps, nous avons pris l'habitude d'*évaluer la valeur des produits non pas en fonction de leur utilité, mais selon leur prix.* Dans les pays capitalistes, cette attitude a été stimulée par l'utilisation généralisée du travail salarié. Celui qui dispose d'une masse monétaire qu'il utilise afin d'acheter des outils de travail (un capital investi dans l'achat d'une usine) doit engager des travailleurs salariés. Ces derniers échangent le libre droit d'utilisation de leur force de travail contre un salaire. Le produit de leur travail ne leur appartient donc pas; ils n'obtiennent qu'une compensation monétaire fixe en échange de leur temps, de leurs efforts et de leurs compétences. Le salaire est une valeur d'échange anonyme qui compense un travail aliénant. De même, le patron ne rapporte pas ce produit à la maison, il le vend à son profit. En un sens, *dans le travail salarié, le travailleur et le patron, chacun à sa manière, acceptent de devenir des agents aliénés stimulant la fabrication et la circulation de marchandises.* Pourquoi? Parce que notre système de production de masse leur permettra d'acheter un plus grand nombre de marchandises avec le salaire ou le profit obtenu. Marx remarquait que l'artisan ne peut refuser de s'insérer dans la chaîne, la manière artisanale étant trop coûteuse. Mais il y a plus. La production industrielle moderne n'a pas d'équivalent artisanal : pensons aux avions, aux automobiles et aux divers appareils électroniques.

L'évolution historique de notre outillage a eu des impacts nombreux. Elle a abaissé radicalement le temps de travail nécessaire à la production des biens. Elle a permis la fabrication de produits coûteux. Elle a modifié notre apparence, notre milieu de vie et notre jugement. Mais surtout, elle a transformé notre rapport aux objets fabriqués en favorisant la production à la chaîne et le travail salarié. Nous ne voyons plus dans un chandail ou un ordinateur le résultat d'un travail issu du génie humain. D'abord, ce travailleur autonome n'existe plus (à cause du travail à la chaîne), et l'amplification outillée est telle que le chemin vers les sources humaines de cette réalisation est obscurci. En conséquence, les marchandises expriment une valeur, indépendamment de l'action humaine. C'est précisément cela, l'attitude fétichiste.

Quand un athlète met à son cou une chaîne porte-bonheur, ce n'est plus sur son talent que, selon lui, reposera son succès, mais sur la magie de son talisman. En ce sens, il ne diffère pas du primitif qui se fiait à une statue de bois pour le préserver de ses ennemis. Quel rapport ces pratiques partagent-elles avec nos habitudes de consommation? Chaque fois que vous achetez une «marque», que vous portez une «étiquette», que vous évaluez quelqu'un selon l'automobile qu'il conduit ou les vêtements qu'il porte, vous tenez un raisonnement fétichiste. Le travailleur moderne ne s'objective plus dans son travail; il vend sa force de travail et, ce faisant, se dépersonnalise. Si l'être humain est essentiellement un être qui travaille, il lui faut donc retrouver une personnalité, perdue dans le travail aliéné, en se valorisant grâce aux marchandises qu'il va acquérir. *La dépréciation du monde des hommes augmente en raison de la mise en valeur du monde des choses,* remarquait Marx. Voilà expliquée notre recherche de marques prestigieuses. Par un étrange détour, l'utilité d'un médecin ou d'un ingénieur est reconnue par la qualité et la quantité des objets qu'il possède grâce au salaire qu'il gagne. Nous ne sommes plus rien sans les objets que nous possédons. Pourtant, il demeure que, sans travail humain, les objets n'auraient aucune valeur. La pluie qui tombe ne vaut rien; s'il pleuvait de l'or, la valeur de l'or chuterait à zéro. Le temps d'en ramasser étant si minime qu'il serait inutile de le comptabiliser, l'or deviendrait même un embarras.

Les divers produits et services reflètent l'existence qualitative des artisans ou des industries qui les fabriquent. Mais seules les valeurs d'échange se comparent entre elles dans un rapport quantitatif de monnaie. De même, les citoyens en viennent à revendiquer l'égalité des droits et à se comparer en fonction de leur revenu, donc ils tirent leur statut de la valeur des biens anonymes qu'ils accaparent et non directement de la qualité de leur labeur. Voilà le citoyen du monde contemporain. Bref, le fétichisme du monde industriel oblige le travailleur à adopter une personnalité par l'achat de marques reconnues.

Le génie humain crée une évolution des outils. L'histoire du travail aurait pu s'arrêter là, chacun se réalisant dans son travail. Ce ne fut pas le cas. Les humains se groupèrent, fractionnèrent et spécialisèrent leur tâche respective, engendrant l'évolution des modes de production. L'histoire aurait pu aussi se terminer là, à l'explication d'une aliénation locale et culturelle. Mais les humains ont réussi, avec le travail à la chaîne, puis avec le travail automatisé, à produire des objets impensables en mode artisanal. Avec eux est née l'aliénation globale, dans laquelle, chez Nietzsche, la cigale deviendra fourmi fétichiste.

VII - Synthèse

L'être humain produit ses moyens de subsistance en appliquant sa force de travail intellectuelle, verbale et musculaire à diverses substances afin d'en modifier la forme ou l'ordre.

L'être humain est capable d'objectivation, c'est-à-dire de réalisation de soi dans la production de biens et de services en se servant d'un outillage qu'il perfectionne. En retour, cette technologie modifie son environnement de travail, son mode de production. Il est donc un être qui vit dans un milieu de travail adapté. Aucune caractéristique ne distingue l'homme de la femme, sinon des différences mineures quant à leur force de travail, différences qui s'amenuisent à mesure que l'outillage se développe.

La conscience d'un individu est idéologique, elle est le reflet de son rôle dans le mode de production. Les animaux sont inaptes à faire évoluer leurs outils (castors, fourmis). Il semble douteux qu'ils puissent avoir une idéologie. L'humain les relègue au rang d'outillage dans son travail (cheval de trait).

Les rapports humains se fondent essentiellement sur la collaboration visant à mieux produire collectivement. Ils sont le plus souvent une source d'exploitation de la force de travail des autres à des fins personnelles, et ce au moyen du travail salarié. Dans les cas limites, l'individu est réduit par esclavage au statut d'outil. La liberté s'exprime dans la capacité des êtres humains à modifier leurs rapports avec la nature, mais surtout dans la possibilité de refuser leur rôle en rejetant l'idéologie reçue.

Nos connaissances et nos institutions sont des outils de travail, qui se présentent le plus souvent sous forme de services. Les croyances et la morale religieuse ont une utilité idéologique, ils sont l'opium du peuple, disait Marx, justifiant les situations aliénantes dans les sociétés (travailler pour un seigneur et aimer le Seigneur).

VIII - Critique

Marx nie que tout facteur spirituel, que toute aspiration artistique puissent être un moteur essentiel de l'histoire. Plusieurs trouveront difficile d'accepter que la production de biens et de services soit notre but. Affirmer que le christianisme et l'islam constituent des idéologies n'offre qu'un intérêt secondaire pour le croyant; on omet l'essentiel de ce qui est en jeu dans la foi. L'activité scientifique contemporaine se nourrit d'objets, mais possède ses visées propres. L'exploration du cosmos coûte des milliards de dollars et n'est guère justifiable en termes de rentabilité future ou de projet idéologique, en faisant abstraction de l'insatiable curiosité humaine motivant ces efforts. À moins d'accepter que notre soif de connaître ne soit le luxe d'un estomac bien rempli.

Par certains aspects, l'approche de Marx ressemble au salut chrétien. Dieu se serait fait homme parmi les hommes afin de montrer le chemin du salut éternel à ces âmes entachées du péché originel. Nous vivons dans un contexte forgé à même notre histoire, c'est en lui que nous allons puiser les ressources qui vont détruire notre aliénation au travail. Cette révolution accomplie, l'histoire telle que nous la connaissons (celle de l'aliénation) prendrait fin, nos âmes seraient libérées. Le communisme qui devait accomplir cette transformation n'a pas rempli ses promesses. Ce qui a tenu lieu de communisme dans certains pays (Chine, URSS, Cuba, par exemple) a permis la transformation accélérée d'un travail essentiellement agraire vers le travail industrialisé, rien de plus. Ici encore, la théorie corrige l'intuition de son auteur. Certains ont renvoyé cette révolution à une date lointaine en notant que, comme le prédisait Marx, les pauvres s'appauvrissent et les riches s'enrichissent. Il s'agit d'un mythe. En moyenne, sur terre, l'individu s'enrichit. Le citoyen canadien moyen est nettement plus riche que son grand-père, si nous comparons les biens et les services dont il dispose et non leur revenu moyen respectif. L'histoire que nous avons esquissée le suppose, la socialisation des pays industriels en est la garantie. Si la globalisation des marchés est la version moderne de l'accumulation du capital prédite par Marx, il demeure que la fin de l'histoire (de la lutte entre classes) annoncée dans Le *Manifeste du parti communiste* ne se matérialise pas. La division en classes relève de l'évolution de l'outillage, non du regroupement du capital monétaire. Les pays communistes ont cruellement souffert de cette constatation. Malheureusement, justifier ces remarques déborde largement le propos de ce court chapitre.

Selon un autre aspect, certains ont vu dans l'automatisation du travail la fin de l'aliénation et l'avènement de la société des loisirs. Pourtant, le principe même de la production de masse exige des travailleurs aliénés, les emplois en informatique n'ayant rien révolutionné de ce point de vue. Il semble que ce soit le rôle de l'aliénation que nous ayons à comprendre, et non les moyens de l'abolir.

Exercice

Sélectionnez un message publicitaire et analysez l'idéologie liée à la condition sociale qui s'y cache. Ce que vante la publicité est le miroir inversé des conditions de vie que ce reflet permet d'accepter. Identifiez clairement les trois éléments suivants :

- la catégorie de travailleurs auquel s'adresse ce message publicitaire;
- la vision positive de leur occupation (la vision inversée que véhicule l'idéologie du théâtre de la réclame);
- le contexte réel de leur travail et ses désavantages, camouflés par cette annonce.

Médiagraphie

BERTOLUCCI, Bernardo : *1900*, film italien, 1976.

CHAPLIN, Charlie («Charlot») : *Les Temps modernes*, film muet étatsunien, 1936.

FRIEDMANN, G. : *Le Travail en miettes*, Gallimard, Coll. «Idées», n° 51, 1969.

GOSSELIN, Bertrand : *Le Discours de l'armoire,* film canadien de l'ONF.

GILLIAM, Terry : *Brazil*, film britannique, 1985.

MARX, Karl : *Le Manifeste du parti communiste*, Aubier-Montaigne, 1971. Traduction de E. Bottigelli.

MARX, Karl : *Le Capital*, tome 1, livre 1, Éditions sociales.

ORWELL, George : *La Ferme des animaux*, Champ libre, Coll. Folio, n° 1516, 1987.

SVEVO, Italo : *La Conscience de Zeno*, Gallimard, 1973.

TOURNIER, Michel : *Vendredi ou les limbes du Pacifique*, Gallimard, coll. Folio n° 33, 1972.

ZOLA, Émile : *Germinal*, Le Livre de poche, n° 145-146, 1970.

8

Nietzsche

Le petit homme et le surhumain

Les philosophies existentialistes insistent sur le caractère humain de notre vie et en affirment la valeur. Ces philosophies constituent autant de protestations contre les théories qui font perdre son individualité à chaque être humain et le transforment en objet. Qu'elles soient athées ou croyantes, ces philosophies reposent sur trois principes: l'individuel prime sur le général; le sens de nos actes importe plus que leur explication; la liberté de choisir notre futur est un trait essentiellement humain. Bref, on connaîtrait mieux quelqu'un en sachant vers où il a choisi d'aller (ses choix d'existence), qu'en sachant d'où il vient (l'histoire de sa vie). Avec Nietzsche, et Sartre par la suite, la philosophie prend ses aises.

La cigale avait chanté tout l'été et se riait de la fourmi qui besognait. Du moins aux dires de cette dernière qui, pour se venger l'automne venu, alla questionner la cigale sur sa destinée. La fourmi, pas peu fière de son pécule accumulé, voulait mettre au clair son refus de partager. Que répondit la cigale? N'en déplaise au sieur de La Fontaine, elle ne répondit point, et pour une raison fort simple: les cigales meurent l'automne venu. Le sachant, elles préfèrent passer leur *été* à chanter.

Friedrich Nietzsche apprend au milieu de la trentaine qu'il est atteint d'une maladie mystérieuse, probablement une dégénérescence nerveuse, qui ne lui laissera qu'une dizaine d'années de lucidité. Entre 1880 et 1890, Nietzsche écrit, clame, dénonce et vit en repoussant morale, préjugés et bienséance. Il n'entre plus dans le jeu civilisé de la retraite dorée, ni dans celui d'une éternité à mériter. Déjà trop gavé de sérieux, ce philosophe spontané se fera le champion d'une liberté et d'une créativité toutes individuelles qui lui procureront une gloire instantanée. Toutefois, la plupart du temps assis à son piano et soigné par sa mère, il passera les dix dernières années de cette fin de siècle privé de lucidité, telle une cigale dans un bocal, se mourant lentement.

Afin d'entrer dans la philosophie nietzschéenne du vivre par soi et pour soi, nous passerons par les vues du psychanalyste autrichien Wilhelm Reich, de l'écrivain tchèque Franz Kafka, du mystique étatsunien Carlos Castaneda et du philosophe indien Krisnamurti. Nietzsche se voulait sans dogme, livrant une pensée éclatée. Nous allons marcher dans ses pas.

1 - Une valse à deux temps

Quel est son *credo* ? Détruire ce qui est figé, ce qui ne vit plus et fait obstacle à la vie. Nietzsche aime à penser qu'il retrouverait alors la manière de vivre grecque d'avant la raison socratique.

Le panthéon grec connaît deux divinités qui ont fini par représenter des modes de vie opposés. D'une part, Apollon, protecteur de la musique, de l'harmonie et des devins. D'autre part, Dionysos, dieu du vin, des fêtes et de l'ivresse qui se manifeste dans la vie et ses farouches ébats. Le dieu Apollon viendrait d'Orient et apparaît dans l'*Iliade* d'Homère en archer propagateur de la peste. Dionysos tire probablement son origine de la culture thrace où il aurait été associé à la fabrication de la bière et aux beuveries. Au temps de Socrate, la politique et l'activité urbaines rationalisées seront dissociées de la vie sauvage. À force de vivre en société, on finit par réglementer la vie; apparaît alors une manière de penser qui condamne la vie créatrice: individuelle, folle et imprévisible. Apollon devient le champion de cette harmonie des éléments. En réaction, un culte de Dionysos Bacchus, vite proscrit en Grèce, organisera des orgies afin de célébrer cette vie sauvage que refuse le bon citoyen.

L'univers des forces vives en perpétuelle tempête a été apprivoisé, appauvri même par la civilisation. La recherche de productivité et de rentabilité a progressivement marginalisé la création artistique. Dans leur recherche de stabilité et de confort, les citoyens ont remplacé la fragilité des passions par de tièdes compromis où ferveur et folie d'amour n'ont plus leur place. La pulsion est devenue désir du bien.

Nietzsche annonce que l'humain, cet animal devenu fragile et mou, doit être dépassé. Ce surhumain* vivra d'intensité plutôt que de confort, choisira la vie hasardeuse à la survie sans aventure. Il sera porté à la créativité au lieu de s'attabler à la reproduction, et son désir de liberté et d'individualité lui fera fuir l'esclavage volontaire au sein du troupeau. La vie collective nous a rendus humains, trop humains en fait. Il faudra voir comment a surgi cette faiblesse, puis comment en briser les chaînes.

II - La civilisation des êtres décadents

Pour Nietzsche, ce qui étouffe le magnifique animal humain, ce qui fait avorter le potentiel créateur en chacun, c'est la vie collective. La vie en communauté devrait lui permettre d'aller au-delà de lui-même en mettant à profit la saine critique de ses frères et sœurs. Pourtant, en pratique, elle le confine simplement à la crainte des différences. Voilà le constat: la vie collective étouffe l'individu.

a) L'esclavage de la raison

Et il y en a d'autres pareils à des réveille-matin qu'on remonte, ils font leur tic-tac et veulent qu'on appelle vertu ce tic-tac.
(Ainsi parlait Zarathoustra)

L'homme est devenu petit à petit un animal chimérique dont l'existence est soumise à une condition de plus que celle des autres animaux: il faut qu'il se figure savoir de temps en temps pourquoi

> *il existe; son espèce ne peut prospérer sans une confiance périodique dans la vie! (Le Gai Savoir)*

Notre sens de l'agglomération a favorisé le développement de la civilisation et de ses promoteurs qui, depuis Platon et le christianisme, entre autres en Occident, proposent des raisons de vivre. Tous les citoyens, y compris vous et moi, vont subir cet esclavage des «raisons de vivre». À quoi obligent-elles?

Elles surestiment nos devoirs, notre «mission sur terre». Les raisons de vivre, comme sauver notre âme, préparer l'avenir de notre progéniture ou notre retraite, s'imposent au détriment des joies simples du corps. Dans presque toutes les morales religieuses, le corps est réduit à n'être que le véhicule de l'âme: un outil à utiliser avec dédain. Moins nous accordons d'importance au corps et aux sensations, plus aisé ce sera pour l'âme de s'affranchir de la condition terrestre. Mais la société moderne en est une de loisirs, remarque-t-on. Pourtant, on la dit «industrielle», et à juste titre. Maintenant plus que jamais dans l'histoire, l'horaire de travail marque la cadence de production, le développement des sociétés et l'importance de la loi du troupeau. Imaginez un centre-ville en fin de journée: tous ces gens qui s'entassent dans des wagons de métro, des autobus ou en longues files d'automobiles pour retourner à leur dortoir. Lentement, la masse s'amenuise et chacun se retrouve dans son enclos. Si peu d'entre eux sont fiers de leur boulot, si peu sont fiers d'eux-mêmes, si peu sont créatifs. Pourquoi? Parce qu'ils n'en ont pas le temps, le «système» les presse. Il leur faut acheter des produits, consommer des biens et des services, faire des enfants, planifier leur retraite, et même leur mort. Il doivent «faire rouler l'économie», comme on dit, sous la pression du *deadline*.

Pendant que nous écoutons les raisons qui nous obligent à mettre les joies simples en suspens, notre vie fuit, elle passe sans possibilité de retour, pendant qu'on s'occupe à autre chose. Chacun court vers l'avenir, mais quel avenir? Nous le savons bien, pourtant, ce qu'il y a au bout du chemin: une pierre tombale. Dieu est mort, affirme Nietzsche, il était le garant de nos raisons de vivre. Nous sommes ces cigales qu'on voudrait faire besogner comme des fourmis.

b) Le joug de la bureaucratie

Partout où nous rencontrons une morale, nous rencontrons une évaluation et un classement hiérarchique des instincts et des actes humains. Ces classements et ces évaluations sont toujours l'expression des besoins d'une communauté, d'un troupeau: c'est ce qui profite au troupeau. *(Le Gai Savoir)*

Quand la vie urbaine s'impose en moyen de satisfaction de nos raisons de vivre, apparaît dans toute sa magnificence la machine bureaucratique. La *bure* était le manteau du moine. Son lieu de travail, le *bureau*, est devenu l'endroit où se manifeste et se matérialise le pouvoir de la «raison sociale».

Dans le monde moderne, le bonheur collectif prime l'individu. L'intérêt de tous supplante celui de chacun, ne serait-ce que parce que chacun se reconnaît dans ce tout, du moins jusqu'au moment où le «cours des choses» le met face à la bureaucratie. L'individu placé dans cette situation fait alors l'expérience de l'inhumanité d'un système bureaucratique, car il est forcé de vivre et de répondre à des exigences qui rendent son existence absurde. L'œuvre de Kafka met l'accent sur ces expériences sociales où un individu se retrouve soudain face «au système» (dans *Le Château,* par exemple), là où la bureaucratie crée des relations entre les humains sans leur consentement.

Pourquoi s'est donc instaurée cette déchirure entre les aspirations de la société et celles de chaque individu? Dans un monde voué à la production de biens et de services, seules les valeurs d'échange de ces produits se comparent, non leur utilité respective (la leçon de Marx). Il en va de même pour l'être humain. Nos efforts d'égalité sociale se construisent sur un fond d'inégalités réelles entre les individus, inégalités de force, d'intelligence, de formation, de passé ou de créativité. Cette tendance se matérialise de nos jours dans l'attitude «politiquement correcte» où des termes comme «personne porteuse» pointent du doigt toute différence comme discriminatoire.

> *Le plus grand travail des hommes a été jusqu'ici de s'accorder sur une quantité de choses, et de se faire une loi de cet accord.*
> *(Le Gai Savoir)*

Ce que l'État possède, dit Nietzsche, il l'a volé. Partons d'un exemple: le bureau des normes du travail. Chaque individu fut obligé d'inventer une manière de travailler. Avec le temps, des méthodes se propagèrent et certaines d'entre elles devinrent la norme. Quand le travailleur s'insère dans la machine industrielle, ces normes lui échappent, aussi créa-t-on un organisme dont le but était de fixer ces normes dans chaque emploi, en particulier les normes de sécurité. Si les tâches d'une société sont multiples, elles peuvent se résumer à des principes communs, principes que le fonctionnaire a tout intérêt à mettre en évidence afin de travailler «en gros», comme on dit. Au bout du compte, il en résulte qu'un fonctionnaire peut empêcher un individu d'œuvrer sur un chantier de construction, ou même sur sa propre maison, s'il n'est pas reconnu compétent, le fonctionnaire n'ayant pas la preuve de cette compétence (sa «carte de compétence»). Il arrive même que ce soit le ministère (monastère) où travaille ce fonctionnaire qui émet ces fameuses cartes. Au départ travaillaient des individus inventifs; à l'arrivée ne demeurent que des ouvriers qui quémandent le droit au travail à des bureaucrates n'ayant jamais exercé ce travail. La raison invoquée afin de justifier ce pouvoir (cette «cratie»): la sécurité de tous. Le prix à payer: sacrifier notre ingéniosité individuelle.

Voilà donc ces fonctionnaires du *Château* de Kafka. Ils sont le *personnel* de l'État. La *chose publique* y apparaît opaque, secrète, complexe et menaçante. L'appareil bureaucratique s'occupe d'êtres anonymes et abstraits représentés par des dossiers. Pour bien fonctionner, elle exige du citoyen une parfaite transparence: santé, finances et mœurs sont fichées et codifiées. Chacun doit pouvoir s'identifier (à son dossier) au moyen d'une carte.

Cet ordre rappelle celui des sociétés primitives dans lesquelles l'initiative avait peu de place. Tout étant réglé par les forces divines, l'obéissance faisait loi. Chaque tâche ne représentant plus qu'une infime partie du système bureaucratique, la responsabilité du fonctionnaire devient minimale: il ne fait qu'exécuter son boulot : «C'est l'ordinateur qui décide.» L'éducation n'échappe pas à cette réalité. Chaque professeur enseigne une matière, reçoit son lot d'élèves. Directives pédagogiques et choix de programmes sont imposés d'en haut par le ministère de l'Éducation. Si certains *hauts* fonctionnaires ont déjà été des professeurs, c'était il y a longtemps. Plus personne ne sait vraiment qui influence l'orientation et le contenu global de l'enseignement, pas plus qu'on ne connaît les motivations personnelles de ce personnel bureaucratique. À coup de régularisations, l'enseignement a fini par échapper aux individus qui le pratiquent, pour le bien de tous.

Peut-on se rebeller contre les raisons d'État? Plus la personne s'affirme, plus elle se marginalise, plus le désir de violer son intimité s'institutionnalise et se justifie moralement car, cet individu n'étant plus comme nous, son droit à la différence peut être critiqué. Nos vedettes n'ont plus de vie privée. Plusieurs prétendent même que les politiciens, les athlètes et les acteurs n'ont pas droit à cette vie privée à cause de leur vie publique. Notre bureaucratie bien-pensante a fait du citoyen un voyeur qui alimente son vice par la lecture de journaux et par l'esclavage de la télévision. Le «système» est devenu privé et la vie privée est son matériau public. Il est aisé de comprendre alors que Monsieur Tout-le-monde ne soit pas intéressé à s'ouvrir aux autres. Cette vie privée est devenue une vie cloisonnée, privée de vie.

c) La pression du ressentiment

La conscience est la dernière phase de l'évolution du système organique, par conséquent aussi ce qu'il y a de moins achevé et de moins fort dans ce système. (Le Gai Savoir)

Et rien ne vous consume plus vite que les émotions du ressentiment. La contrariété, la susceptibilité maladive, l'impuissance à se venger, l'envie, la soif de vengeance, tout ce qui empoisonne le sang – voilà certainement pour l'homme la manière la plus nocive de réagir. (Ecce Homo)

Dans la maison d'en face, un vieux couple regarde K., le personnage principal et l'accusé du *Procès* de Kafka. Avec l'assurance d'être dans le droit chemin, K. se rit des deux officiels venus le chercher. Un tribunal s'impose par sa force, sa pression, il juge la personnalité, non l'acte. K. ne sait pas de quoi on l'accuse, mais le regard de «on» a force de condamnation. K. sera exécuté sans jamais avoir compris ce qui lui arrivait. D'ailleurs, «on» s'en moque.

L'impuissance à matérialiser ses désirs en actes créateurs engendre ce petit être qui ressent la vie comme une peine et qui égalise démocratiquement en supprimant tout privilège et toute différence. Il préfère que tous en soient privés, plutôt que d'avoir à supporter que son voisin jouisse de plus de biens que lui. Et pour se contenter, il regarde le spectacle du bonheur à la télévision.

Le psychanalyste Reich a insisté sur l'effet de ressentiment que subit le petit homme à cause de la pression sociale et du regard des autres (la leçon de Rousseau). Il forge ces êtres trop nombreux et superflus, selon les termes de Nietzsche, ces êtres domestiqués, centrés sur de petites valeurs (compétition, retraite, parure), et qui réclament des certitudes. Les petits hommes forment un troupeau: ses éléments sont individualistes. Un troupeau de bovins est sans cohésion, sans rapport avec une horde de loups, par exemple. Un lion attaque, le troupeau se met en marche, l'un des bovins succombe, le troupeau s'arrête: la menace est passée. Tout à côté, l'un d'eux sert de repas au lion, mais ce n'est pas moi: la loi du nombre penche en ma faveur.

Le petit être juge le quotidien méprisable parce que routinier. Ses voisins paraissent sans force et sans grandeur, si semblables à lui. L'existence quotidienne finit par lui déplaire parce qu'elle ne suscite nul dépassement; rien d'important n'y survient (une conséquence de la vie en troupeau). Le petit être s'ennuie dans son ornière et attend que l'être extraordinaire l'en sorte. Cet individu ne s'aime pas, et tout ce qui lui ressemble ternit de cette comparaison. Alors il mythifie tout ce qu'il ignore et qui diffère de lui. Il est fier des grands chefs, car il n'est pas fier de lui. Il devient idolâtre et veut de juste droit que ses idoles soient publiques. À la limite, il adule le chef de sa secte, qu'il soit sportif ou mystique. Alors il obéit à des dragons*.

Quel est ce grand dragon que l'esprit ne veut plus appeler ni maître ni dieu? «Tu dois», tel est son nom.
(Ainsi parlait Zarathoustra)

Dans la mythologie chinoise, le dragon symbolise ce qui peut faire peur, ce qui s'impose en une image frappante, sans exister réellement, sans avoir la capacité de mettre ses menaces à exécution. Il personnifie l'image et son pouvoir. Ceux qu'on idolâtre, qui sont plus que nous, sont ces dragons. Pourquoi? Parce qu'ils sont comme nous mais en faisant leur vie sans demander la permission à qui que ce soit, ils sont donc autonomes; à la manière surhumaine, sauf que...

d) L'idéologue* et ses moutons

Ceux qui dictent une manière de vivre à ceux qui ne s'aiment pas, à ceux qui doutent de leur valeur, ceux-là sont les dragons savants. Il leur faut un auditoire de moutons car ce qu'ils ont à dire relève de l'instruction et de la directive, non du dialogue; ils savent leur troupeau prêt à suivre. Le mouton ne fait pas l'effort de produire ses propres idées, il n'a que de vagues opinions sur le monde et du mépris pour le voisin qui pense savoir. Alors, il cherche ce sage, ce pasteur, ce guide, ce prophète, cet animateur, ce meneur d'hommes, cet être exceptionnel qui pourrait tout lui révéler.

Le dragon savant qui dicte la marche à ses moutons est un idéologue qu'il ne faut pas confondre avec un philosophe qui cherche le dialogue (les professeurs de philosophie sont parfois des dragons). L'idéologue proclame la Vérité sur ce qui est Bien et Mal, Vrai et Faux, une vérité qui exclut tout ce qui pourrait la contredire. Il ne s'intéresse pas à l'émancipation de son auditoire, il veut instruire ses moutons afin qu'ils pensent selon ses principes, souvent ceux d'une société qu'il valorise. L'idéologue se proclame impartial et parle au nom de l'objectivité. Jamais dans ses discours il n'est question de ce qu'il ressent, de ses désirs et ses penchants, de cette humanité qu'il partage avec tous. De lui, on ne sait rien; il récite un savoir qui n'entretient aucun rapport avec sa vie. L'idéologue ne s'expose jamais dans ce qu'il dit; il parle avec prudence et réflexion, car il est bien préparé. S'il montrait une faille, le petit être ne l'écouterait plus.

Mais comment celui qui ne prend pas le risque de perdre la face, comment celui qui considère toujours les choses de haut, de loin, peut-il enseigner quelque chose de valable? Comment celui qui garde ses distances peut-il tenir des propos pertinents en parlant de ma vie? Comment peut-il être un ami? Il ne le peut et ne le veut pas. Sa connaissance est quelque chose de terriblement sérieux, dira Nietzsche. En ce sens, le chercheur contemporain est devenu le dernier homme*, l'ultime esclave de la raison.

> *J'ai quitté la demeure des savants et j'ai même claqué la porte derrière moi. Trop longtemps mon âme a eu faim à leur table; je ne suis pas pareil à eux, fabriqué pour la connaissance comme pour casser des noix. J'aime la liberté et l'air sur la terre fraîche: j'aime encore mieux dormir sur des peaux de bœufs que sur leurs dignités et leurs respectabilités.* *(Ainsi parlait Zarathoustra)*

Dans la société des moutons, chacun réduit l'autre à sa petitesse et suit la bureaucratie qui assure l'égalité par le bas, à coups de table rase. Pour le rassurer, on lui propose des dragons savants. Cet être n'est plus ce magnifique prédateur qui hantait la plaine comme un lion, où il régnait en bandes comme le loup; il n'est plus qu'un élément de la fourmilière humaine. Il préfère subsister dans l'abnégation de soi, plutôt que de vivre dans l'indifférence du troupeau. Et le savant, cet être objectif qui pense sans passion, hormis son amour d'une Vérité tout autre que son individualité, il est l'ultime expression de la fourmi besogneuse: le «dernier homme».

III - La volonté de puissance

> *Ce tourbillon vulgaire, et rongé par l'ennui,*
> *Qui dans son monde oisif nous entraîne avec lui*
> GŒTHE, *Faust*

Nietzsche oppose au dressage de la bête humaine ce qu'il appelle la fête de la vie. Célébrer la vie, c'est croire en son potentiel, libérer ses instincts, être créatif, agir dans le monde pour en faire le reflet de nos volontés. Vivre ici, maintenant, sur terre. Si Dieu est mort, il n'y a pas d'autre monde après celui-ci: *nous sommes des cigales*. Si la mort est la fin véritable de la vie, alors la mort change tout. Il nous faut oublier nos habitudes de petits êtres, éliminer cette morale d'esclaves basée sur l'oubli de soi.

Reconnu sage avant même sa puberté, le penseur indien Krisnamurti recommandait de vivre chaque jour comme s'il s'agissait du dernier jour de notre vie. Avant de rétorquer que c'est impossible, imaginons ce que cette suggestion implique. Il ne s'agit pas de vivre ce jour comme un mourant, s'éteignant à l'ombre d'un rideau sur un lit d'hôpital. Imaginez plutôt qu'au moment de votre mort on vous accorde une journée supplémentaire, une semaine peut-être. Que feriez-vous de cette journée, qui verriez-vous? Sur le coup, on s'imagine faire les pires folies; pourtant, en y pensant bien, ce ne serait pas le cas, surtout en vieillissant. On se rend compte qu'on ferait des choses fort simples, revoir des êtres qui ont marqué notre vie, par exemple. C'est alors qu'on comprend ce qui nous tient vraiment *à cœur*, et non, simplement, à coup d'émotion. Celui qui voudrait vivre en créateur, selon sa volonté, devrait se demander chaque jour: «Qu'ai-je fait de vraiment important pour moi aujourd'hui? Quels coups de cœur ai-je vécus?»

Pour Nietzsche, il n'y a pas de condition humaine. Il y a une condition animale et, chez l'être humain, la possibilité d'un bond prodigieux de l'animal au surhumain. Celui qui rate ce saut chute dans l'humanisme, il devient faible, sensible et dépendant; il implore la miséricorde divine. Il n'a plus de volonté de puissance créatrice*.

> *À supposer enfin qu'une telle hypothèse suffise à expliquer notre vie instinctive tout entière en tant qu'élaboration et ramification d'une seule forme fondamentale de la volonté – à savoir le volonté de puissance, comme c'est ma thèse –, à supposer que nous puissions ramener toutes les fonctions organiques à cette volonté de puissance et trouver en elle, par surcroît, la solution du problème de la génération et de la nutrition – c'est le seul problème –, nous aurions alors le droit de qualifier toute énergie agissante de volonté de puissance.* (*Par-delà le bien et le mal*)

Nietzsche ne définit pas la volonté de puissance créatrice autrement. Nous pourrions préciser qu'elle consiste à accepter les désirs et les pulsions qui nous habitent, à ne jamais les nier ou les refouler, ni les craindre, comme le fait le petit être en les jugeant comme étant bien ou mal. Cette volonté nous anime et nous pousse vers les autres. Elle nous remplit d'ivresse quand nous sommes amoureux, quand nous désirons vraiment quelque chose, quand la colère libère en nous la force du juste. Mais cette volonté animale peut être reprise en volonté créatrice par celui qui bondit dans la vie, conscient de sa force et de celle des autres. Celui-là devient surhumain: il invente sa vie dans le respect de l'autre qui n'est plus un sujet de convoitise ou de comparaison, mais un autre créateur, une autre liberté.

La volonté de puissance peut être un grand danger quand elle s'impose aux autres. À l'opposé de l'être surhumain, le dominateur revendique son espace en niant la volonté créatrice des autres. C'est le berger, le pasteur, le moraliste, l'être à la poigne ferme. Il se croit investi d'une volonté de puissance, mais ce n'est qu'un désir de domination. La volonté de puissance créatrice permet à chacun de grandir, de faire fleurir sa vie, et non de réduire celle des autres aux dimensions d'un bonsaï, pire de soupçonner en chacun une graine de mauvaise herbe. La volonté de puissance ne s'exprime jamais comme une domination politique ou intellectuelle de l'autre. D'ailleurs, pour le surhumain, il n'y a pas *les autres*, il y a *l'autre*. Nous y reviendrons.

Chacun est libre, responsable de soi. Cette liberté exige de maintenir une saine distance avec les autres, de ne pas fléchir sous la critique des petits êtres. Cette liberté demande de devenir moins sensible aux peines, aux privations, et même à la vie. D'être prêt à sacrifier des êtres à sa cause, en plus de notre confort personnel.

Être libre, c'est aussi rejeter les prescriptions morales, les «tu dois» des petits êtres qui enseignent à haïr la liberté, qui nous disent à propos de tout: «Cela ne se fait pas, cela est mal.» L'idée du bien entraîne toujours que je doive me sacrifier à un principe. Les religions sont les formes ultimes d'expression du bien. Pourquoi est-ce bien? Parce que ça ne me concerne pas personnellement, ça concerne ma vie «ailleurs». Du reste, mon bien consiste à donner mes biens: à une cause charitable, à un projet de société, à un combat essentiel, à la vie après ma mort. Peu importe, il est aisé de deviner qui dirige ces projets: le «grand prêtre» possède plus de bien et de biens que les autres (pensez aux papes catholiques et aux patriarches orthodoxes). C'est qu'il en use avec autorité. Pourtant, le vouloir se manifeste dans la création d'œuvres. Ce que Zarathoustra veut mettre au monde, ce sont des créateurs. Il ne donnera ni ses yeux à l'aveugle, ni ses jambes au paralytique. Il faut que l'aveugle vive avec son infirmité, qu'il en soit le maître.

IV - Le surhumain

> *C'est de mauvais gré que je demandais mon chemin. Cela allait toujours contre mon goût! Je préférais interroger et essayer les chemins moi-même. Une tentative et une interrogation voilà ce que fut ma marche. Voilà ce que je répondais à ceux qui me demandaient «le chemin». Le chemin n'existe pas.*
> *(Ainsi parlait Zarathoustra)*

Nietzsche nous incite à développer une autre forme de vie au cœur de notre quotidien. Aucune voie n'est tracée à l'avance, chacun cherche son chemin, chacun invente son propre sentier. Si la vérité existe, ce sera dans le chemin parcouru. Alors qu'il était initié aux pratiques des sorciers yaqui par son maître Don Juan, l'anthropologue Castaneda se faisait incessamment répéter qu'il devait choisir son chemin. Ne sachant comment faire, il demanda conseil. «Suis le chemin du cœur», fut la réponse du vieux sorcier. «Et comment vais-je savoir qu'il s'agit du chemin du cœur?», rétorqua Castaneda. «C'est un sentier où on ne force jamais. Si le chemin s'avère difficile parce que tu t'obstines dans une voie qui n'a pas de cœur, alors tu ne suis pas le chemin du cœur.» «Et quelle sera la conséquence?», demanda l'Étatsunien. «Tu mourras.»

Castaneda comprit qu'il deviendrait *guerrier à soi-même*, en délaissant la pitié et l'apitoiement sur soi. C'est le sens du surhumain: être dur et noble. Celui qui aide le faible ou demande qu'on l'aide crée cette faiblesse de vie. Comme le dit une chanson de Félix Leclerc: «La meilleur manière de tuer un homme, c'est de l'empêcher de travailler.»

Nietzsche parle de la figure du «criminel blême»: celui qui se repend après coup. C'est l'homme fort, placé dans des conditions défavorables qui l'ont rendu malade. Ce qui lui manque, c'est la jungle, une vie libre et dangereuse, qui *légitime* ses instincts d'attaque et de défense. Mais, entouré de petits hommes, ses vertus sont mises au ban de la société.

> *Et comme ses instincts ne lui valent jamais que danger, persécution, calamités, sa sensibilité se retourne contre ses instincts, qu'il ressent comme une malédiction. C'est notre société policée, médiocre, castrée, qui, fatalement, fait dégénérer en criminel un homme proche de la nature. (Le Crépuscule des idoles)*

La meilleure manière de tuer un homme, c'est de l'empêcher de s'exprimer.

Étrangement, c'est dans le domaine amoureux que notre tracé est le plus souvent sans cœur, car nous n'avons pas le courage de supporter d'être délaissé, ignoré, incompris, ou encore d'avouer ce besoin de l'autre. Dans l'amour, le saut de l'animal à l'humain, du désir sexuel à l'envie d'un(e) aimé(e) - ami(e), est exemplaire. La pitié et l'apitoiement sont de petites valeurs humaines qui nous éteignent. Avant d'éclore, Nietzsche fut longtemps amoureux d'une femme avec laquelle il ne pouvait être ami, qui n'était pour lui qu'un simple objet de désir. Kierkegaard vécut une relation différente mais aussi pénible, à peu près à la même époque. Seule leur volonté obstinée de poursuivre la relation ouvrait le chemin, un sentier sans cœur, sans vie, une course vers un objet.

La manifestation surhumaine consiste à vivre dans la réalisation de valeurs personnelles, le plus souvent originales, sans chercher l'acquiescement du troupeau, mais toujours ouvertes aux critiques des proches. Fêter la vie et réaliser ses rêves est une aventure égoïste sur un sentier à défricher, et *où notre seul guide est la question: est-ce bon pour moi?* Être surhumain n'est pas une profession, ni même une occupation, c'est un art de vivre, qu'on peut perdre, oublier, conquérir à chaque jour. Les Charles Baudelaire (poète), Mozart (compositeur), Henry Miller (écrivain), Charlie Chaplin (cinéaste), Che Guevara (militant politique), Gandhi (philosophe et homme politique), John Lennon (chansonnier), Paul Gauguin (peintre) ou Nietzsche lui-même furent surhumains à leur manière, à leur époque et par moments. Pourquoi? Parce qu'ils affirmèrent et assumèrent leurs idées et projets, souvent contre la majorité et en l'absence de reconnaissance, avec la fragile conviction, non pas qu'ils avaient raison ou qu'ils marchaient dans le *droit* chemin, mais qu'ils s'investissaient dans le *bon* chemin.

Bref, être un artiste en quelque sorte. Mais l'artiste qui cherche à plaire au public n'a de créateur que l'étiquette; il fait ce que la société attend de lui: être un beau modèle, servir d'appât aux rêves de conformisme social. Et quand un créateur s'impose contre ce conformisme, les «superflus» lui volent ses œuvres: il devient un modèle, une école. Ils appellent ce vol la «culture».

Briser l'habitude, avoir le courage de mes opinions et de mes actes, c'est m'inventer dans mes agissements, plutôt que de porter un masque de convention. Parvenu à ce point, je n'ai plus d'autre solution que de m'inventer moi-même parce que je ne me reconnais plus dans mes habitudes passées. Rien à voir avec la contestation de l'ordre établi: je deviens hors d'ordre.

Que vais-je faire? Tout ce qui répondrait de manière satisfaisante à la question: «Qu'ai-je fait de bon pour moi aujourd'hui?» C'est à cet instant précis de sa vie que le surhumain se rend compte de sa solitude, de sa force et des ornières qui ont depuis toujours emprisonné ses pulsions dans des comportements raisonnables. On serait tenté de *réagir* en brisant les chaînes, en faisant le mal, mais ce serait la même prison. La vie est un *agir* et nul dieu, nulle raison ou révolution ne me viendra en aide. Un élément à retenir, toutefois: il faut devenir un personnage. Pas au sens où je me cacherais derrière un masque illusoire et mensonger. Celui qui devient son personnage et monte sur scène expose son individualité au regard des autres, à leur critique. Il n'est plus un assemblage de gestes et de paroles conventionnels, il *vit*.

V - L'ami(e)

C'est de compagnons vivants que j'ai besoin, non pas de cadavres que j'emporte où je veux. (Ainsi parlait Zarathoustra)

L'ami est un gardien devant la porte où je cache ma vie privée. (Ainsi parlait Zarathoustra)

C'est quand je m'investis dans un personnage que je deviens crédible et dérangeant, pour moi surtout. Je deviens comme et mieux qu'un enfant. Un long et délicieux passage tiré de *L'Invention de soi* de Claude Bertrand:

Je suis assis à une table de restaurant. Je constate la présence de gens sympathiques à qui j'aimerais bien parler parce que je les ai déjà rencontrés quelque part. Je pourrais bien aller leur parler, mais une barrière m'en empêche. Une de ces personnes se lève, croise mon regard, m'invite presque à lui parler, mais quelque chose me retient encore de m'échapper même si j'en ai le désir. J'ai peut-être tort ou raison. Ce n'est peut-être pas le moment. Bref, je n'arrive pas à me dégager de mon terrible «sérieux». Je rate peut-être une occasion de m'ouvrir à l'autre. Qu'est-ce qui me retient, à tort ou à raison? La conscience de mon acte. La conscience de cet acte que je pourrais poser qui justement me causerait sans doute un trouble qui transparaîtrait à la surface même de mon visage. Or, c'est justement ce que l'enfant ne ressent pas. C'est pourquoi il lui est indifférent et même amusant de passer d'une table à l'autre, surtout s'il est en présence de ses parents. Il est spontané, dira-t-on, mais cette spontanéité a quelque chose de facile, car il n'a justement pas la notion de ce qu'il franchit comme limite, comme obstacle, pour passer d'une table à l'autre. Il est facile d'être enfant lorsque l'on n'est jamais sorti de l'enfance. [...] L'innocence de l'enfant est bête. Celle de l'adulte est réfléchie. Ce que Zarathoustra demande aux hommes, c'est en quelque sorte de faire l'effort de l'enfant qu'ils ont en eux.

L'objet de mon désir m'échappe toujours, et la volonté est autre chose que le désir. Le passage du désir à la volonté est manifeste chez l'artiste et le personnage investi: il exprime la vie. C'est cette volonté d'agir qui rend l'être surhumain et fait de lui un enfant conscient.

Nous sommes les sujets de pulsions violentes. Nous pouvons les satisfaire en possédant des objets auxquels se fixe ce désir. Plus un objet nous attire, plus il semble pouvoir soulager notre désir et plus nous en devenons esclave, plus nous sommes honteux ou heureux d'être sous sa domination (la leçon de Freud). L'amour n'est souvent que la dépendance de notre désir à l'égard du corps ou du regard d'une autre personne, celle sur laquelle nous avons fixé notre désir (la leçon de Sartre). Il en va de même de nos ambitions. *Nos fantasmes sont nos dragons personnels.*

Nietzsche, qui a connu cet amour esclave, sait que le corps possède la clé qui lui permettra de se délivrer de ses chaînes et de ne pas se laisser emporter par des fantasmes. Cette clé, il l'appelle le soi*. Ce soi se moque des chaînes du moi. Le moi s'attache à des objets de désir. Il lui faut toujours cette personne, cet objet, ce divertissement et ses habitudes de vie pour être heureux. Celui qui veut être libre et s'inventer chaque jour un «bon pour lui» ne peut pas s'attacher à des objets, à des êtres ou à des images; il doit aller d'une table à l'autre, trouver d'autres qui lui ressemblent, sinon il sera seul et vide.

Notre plus grand fantasme, c'est l'amour de l'autre. Cette passion de l'esprit est une passion du corps. Une scène classique: un homme vient de rencontrer une femme, ils se parlent avec passion, le sujet importe peu. Chacun est charmé par l'autre. Mais ce sont des êtres bien en chair qui s'attirent, ce sont les sens qui fêtent. Dans notre quotidien, nous avons été dressés jusque dans notre manière de séduire: l'homme par les mots et la prestance, la femme par l'écoute et les formes de son corps (la leçon de Rousseau). L'homme désire cette femme qui se veut désirable. Situation ambiguë, car elle ne veut pas être simplement prise: c'est mal. Lui, occulte son désir pour la même raison. Ils ont subi cette éducation qui sépare le corps de l'esprit. Sartre parlera d'une *mauvaise foi* inséparable de la condition humaine; quant à Nietzsche, il se moque de la condition humaine.

Pourquoi ces attitudes mensongères, ces retenues tout *humaines* où l'*animal* souffre? Parce qu'en cédant son corps cette femme aurait le sentiment d'être réduite à un objet dans lequel elle ne saurait se reconnaître. C'est souvent le cas. La femme établit une distance entre les corps, l'homme temporise. Mais s'agit-il de saines distances? Voilà deux êtres désincarnés, qui risquent de passer outre le véritable échange des corps et des âmes. Ce qui les conduira à vivre les rapports amoureux d'une manière fausse, parfois immorale. Avec certaines personnes, ils seront corps et passion sans pouvoir être esprit. Avec d'autres, ils seront esprit sans pouvoir être passion. Bref, jamais ils ne seront amour et amitié, comme si corps et esprit, passion et échange s'abolissaient forcément. Jusque dans nos rapports les plus intimes, la raison fait de nous des êtres aux petites amours qu'on sécurise par un *mariage de raison.*

Pourtant, ils ont raison de se comporter ainsi: si la femme cédait trop facilement, l'homme s'en désintéresserait. Effectivement, mais uniquement si elle *cédait* et s'il *conquérait.* Cela a-t-il à être toujours ainsi? Être surhumain s'apprend. Nous aimons d'abord en «dévorant des yeux», comme on dit, ceux que nous désirons. Une seule pensée nous obsède: faire l'amour, étrange expression. Ou encore en retarder l'accomplissement, ce qui revient au même. Le rapport sexuel est essentiel, il est au cœur de nos préoccupations.

> *Vous devez, un jour, aimer par-delà vous-mêmes ! Donc, apprenez d'abord à aimer ! Et c'est pourquoi vous devez boire le calice amer de votre amour.* *(Ainsi parlait Zarathoustra)*

«Souffrir» l'amour humain pour ensuite en dépasser la dépendance et le jeu des raisons. Effectuer la transition de l'animal au surhumain. Cette souffrance de l'amour, il faut l'éprouver si l'on veut s'en libérer. Tout autre chemin serait une erreur. Bref, l'amour exclusif et éternel est souvent un chemin sans cœur.

Voici un autre passage exquis du livre de Claude Bertrand:

> *Pourrais-tu, par exemple, entendre cette parole, toi qui es mon autre, toi avec qui je vis: «Je suis bien avec toi, je te désire, nous*

sommes heureux ensemble, mais j'éprouve parfois le désir de regarder ailleurs.» Pourquoi? Peut-être pour refaire avec une autre ce que je fais avec toi? Peut-être parce que je ne peux pas accepter que tout s'arrête là, entre nous. Peux-tu accepter que je dise les choses en toute liberté, en toute innocence, qu'il n'y ait pas de mots interdits, de phrases interdites?

«Fais l'aveu de ce qu'il y a en toi de plus trouble et tu sauras être près de mon cœur.» L'amitié est pour Nietzsche le rapport authentiquement surhumain. Un véritable défi amoureux entre hommes et femmes. Si le désir est incontournable, il doit être surmonté sans être aboli, sans quoi l'homme et la femme ne seront que de simples animaux ou, pire, un couple en dépendance affective lié par serment. Dans le désir involontaire, on abolit le mystère qu'est l'autre. Très tôt, il ne restera qu'un objet sur lequel on s'épuise.

On doit avoir dans son ami son meilleur ennemi. C'est quand tu le combats que ton cœur doit être le plus près de lui.
(Ainsi parlait Zarathoustra)

L'ami est aussi celui qui ne craindra pas de me critiquer, non pas par jalousie ou ressentiment, mais parce que parfois ma volonté erre, parce que je suis faillible, surtout quand j'ose créer. Quand je ne pourrai être guerrier à moi, lui le sera.

On ne tolère rien de petit chez un ami, pour que jamais notre colère ne s'abatte sur lui. Imaginez maintenant ce que serait l'amour d'un(e) ami(e)!

VI- Synthèse

L'être humain est un animal apte à mouler sa volonté de puissance en projets qui obligent au dépassement de soi, une action surhumaine.

L'être humain est un animal conscient de son existence. Elle le rend apte à vivre par soi et pour soi entouré d'amis libres et indépendants de pensée. Sinon, il devient un membre du troupeau, un petit homme anonyme. La conscience morale ne sert qu'à raboter les êtres humains, à les priver de leur liberté.

Pour Nietzsche, la liberté est cette paradoxale possibilité d'exprimer et son originalité et son animalité. L'animal ne peut choisir d'entrer ou non dans le troupeau. L'être humain peut sortir du rang et s'élever au statut de créateur individuel, récupérant à la fois sa volonté de puissance animale et son caractère humain.

L'essence de toute relation humaine devrait être l'amitié, sans distinction de sexe, entre individus libres et indépendants. Toute relation soumise à la force d'inertie du troupeau ou au joug du bien et du mal est faussée. L'autre est l'occasion d'une saine critique, saine dans la mesure où elle permet de me voir de l'extérieur, sans vouloir réduire mon originalité, sans nier ma grandeur ni ma créativité.

L'amour surtout peut être une relation fausse, en particulier le modèle romancé du couple éternel, qui nous enchaîne dans une relation de dépendance mutuelle nous empêchant de connaître véritablement l'autre, d'être un ami, et exclut tout autre humain comme pouvant aussi être aimé.

Nos connaissances, nos croyances et l'ensemble de nos institutions sociopolitiques n'ont qu'un intérêt secondaire. Ils s'avèrent souvent de dangereux mécanismes poussant l'humain à la conformité et à l'anonymat du petit homme.

La vie est un éternel recommencement où n'a de sens que ce en quoi je m'investis. Le chemin que je trace n'a de valeur que s'il exprime l'originalité, la subjectivité de ma démarche; bref, si je le trace à même mes pas.

VII - Critique

En lisant les œuvres de Nietzsche, il est aisé d'y deviner un être raciste, sexiste, élitiste et ethnocentriste (même quand il critique les Allemands, il parle encore des Allemands). L'individu ne semble pas être à la hauteur de son projet. On peut l'en excuser, car il dut le concevoir à la suite d'un choc traumatique: sa maladie. Un accouchement provoqué, aurait dit Socrate.

Si, tout comme Nietzsche, nous rejetons la démarche objective des sciences, il nous faudrait aussi en écarter les bienfaits. Pourtant, on trouve une forme de créativité et de volonté de puissance dans la recherche scientifique, surtout en médecine, soit l'expression surhumaine de quelque chose qui dépasse les limites individuelles, voulant transgresser le soi vers un nous.

Nietzsche ne rend pas compte de l'échec appréhendé du surhumain qu'on ne prend pas au sérieux. Nos personnages les plus illustres ne furent reconnus qu'après leur mort ou au crépuscule de leur vie. Avant, ils étaient à peine tolérés.

Finalement, il semble bien que la fourmilière soit le terme de l'histoire humaine et les cigales y font figure de divertissement. La place des arts dans nos sociétés modernes semble le confirmer.

Exercice

Trouver un personnage historique ou même un héros romanesque (mais pas de bandes dessinées, de science-fiction ou d'épopée imaginaire) qui vivrait, aurait vécu ou illustrerait la manifestation de la volonté de puissance, qui aurait été un surhumain au moins durant une portion de sa vie. Justifiez votre choix en le présentant sous les aspects suivants: bon opposé à bien, créativité et originalité opposées à normalité et conformisme, saine distance opposée à complaisance.

Avez-vous ou êtes-vous un véritable ami, qui sait dire son opinion même au risque d'écorcher et de faire mal, pour que l'autre soit *bon* pour soi? Si oui, expliquez.

Médiagraphie

BERTOLUCCI, Bernardo: *Le Dernier Tango à Paris*, film italien, 1972.

BERTRAND, Claude: *L'Invention de soi*, Les Herbes rouges, essai, 1995. (Une excellente préparation à la lecture du *Zarathoustra*.)

CAVANI, Liliana: *Au-delà du bien et du mal*, film italien, 1977.

FORMAN, Milos: *The people vs Larry Flint*, film étatsunien, 1996.

GERMAIN, Michel: *La Voie du minotaure*, Triptyque, 1994.

HUDSON, Hugh: *Greystoke, la légende de Tarzan*, film anglais, 1983. (Si le prédateur que la civilisation dénature était, comme le souligne Lorenz, un pacifique omnivore.)

JARDIN, Alexandre: *Le Zèbre*, Gallimard, 1988 (film de Jean Poiret, 1992).

NIETZSCHE, Friedrich: *Ainsi parlait Zarathoustra*, Le Livre de poche, nº 987, 1983.

WEIR, Peter: *Dead Poets Society*, film étatsunien, 1989 (*La Société des poètes disparus*).

9

Sartre et l'existentialisme

Le jeu des regards

Pourquoi suis-je en vie? Si j'examine le déroulement de ma vie, je ne trouve aucune raison à mon existence. Une succession de circonstances aléatoires ont amené mes ancêtres français, italiens et irlandais dans les villes de Québec et de Montréal, au Canada, loin de leur patrie d'origine. Leur migration dépendit de la conjoncture économique et politique, des moyens de transport de leur époque; bref, de situations n'ayant aucun lien avec ma vie et mes préoccupations. Je pourrais examiner à la loupe les événements qui ont conduit mon père et ma mère à me concevoir, je pourrais scruter les divers incidents qui, non seulement m'ont gardé en vie, mais poussé vers l'étude de la philosophie; et pourtant, rien dans cet examen ne montrerait, à la manière d'une loi de la physique, pourquoi et selon quelles volontés je suis assis devant un écran d'ordinateur, en train de méditer sur mon sort. Si j'étais né dans un autre pays ou à une autre époque, je serais probablement mort d'une double pneumonie, compliquée d'une infection de la gorge, alors que, autour de moi, la chirurgie et les antibiotiques étaient disponibles. Si je n'avais pas envoyé ma demande d'admission au cégep en retard, je serais entré au collège un an plus tôt et je n'aurais jamais connu des gens qui ont transformé ma vie, et moi la leur. Si...

I - L'existence est aléatoire et circonstancielle

> *C'est le privilège de l'humain d'exister, les choses se contentent d'être. Elles ne sont que des dehors. Les consciences ne sont pas : elles se font.*[1]

La vie est *contingente* et factuelle, dira Jean-Paul Sartre, elle dépend de circonstances imprévisibles. Chacun peut examiner sa vie, sa semaine et même sa journée à la lumière de ces accidents qui jalonnent notre parcours. Nous sommes là sans raison, sans but précis, sans mission rattachée à notre naissance. Rien ne m'oblige à être qui que ce soit ou à faire quoi que ce soit. Certains invoqueront la volonté divine, des puissances occultes ou un karma*. À ceux-là il faut répondre que l'invisibilité de ces contraintes est le gage de leur fausseté. Même si de telles obligations pesaient sur ma vie, le fait que je doive en deviner le contenu me replace aussitôt dans un univers aléatoire où aucune direction n'est offerte. Bref, quand l'être humain s'éveille à la conscience et à la vie, *il est déjà là*.

Un paysan, fourche en main, voulant s'opposer à la marche d'un régiment blindé, mènerait un combat absurde*, car l'inégalité des forces en jeu rendrait la confrontation ridicule. C'est le cas de notre combat contre la mort. La vie est absurde, déclare l'écrivain Albert Camus. Nous vivons sur une petite boule de matière, en orbite autour d'une étoile qui s'éteint lentement. L'équilibre fragile entre l'éloignement du soleil et la puissance de ses rayons a permis l'apparition de la vie. Dans quelques millions d'années, ce sera fini. Même si nous échappions à notre condition terrestre grâce à la technologie spatiale, c'est tout l'univers qui s'anéantira un jour dans une contraction avant d'exploser à nouveau en matière brute. Nous sommes abandonnés dans cet univers ouvert et infini, aptes à calculer les limites de notre survie sur terre. La mort est notre seule certitude: voilà l'absurdité du combat pour la vie.

Il n'y a pas pire condamnation qu'un travail absurde. Le bagnard qui, jour après jour, se voit obligé de casser des cailloux rage, non pas contre sa

---

1. Les citations sont tirées de *L'Être et le Néant* de Jean-Paul Sartre, Gallimard, 1943.

besogne, mais contre son inutilité. Pourquoi est-il si pénible, ce temps passé dans une salle d'attente? C'est qu'il ne sert à rien, j'y existe inutilement. L'imaginaire grec a illustré cette situation dans le mythe de Sisyphe. La punition de ce roi légendaire est à la mesure de ses crimes: il doit pousser un rocher jusqu'au sommet d'une colline, d'où il roulera vers le bas. Sisyphe redescendra et recommencera éternellement sa tâche. La vie humaine s'écoule ainsi: jour après jour nous mangeons, lavons, besognons, dormons, et ces actions essentielles sont toujours à recommencer. Bien sûr, notre vie s'améliore, mais nous allons mourir. Bien sûr, nous pouvons léguer le fruit de nos efforts aux générations futures, mais la vie va tout de même nous quitter un jour. Ce qu'exprime le mythe de Sisyphe, c'est que la vie est absurde, qu'elle ne mène nulle part. *Si nous devons trouver un sens à notre vie, ce doit être par nous-mêmes*, en décidant volontairement et librement de ce que nous en ferons. Dès lors, il nous est possible d'exister, de vivre par choix.

a) La liberté

La liberté c'est d'être capable d'être ce qui n'est pas.

Si aucun destin ne m'est imposé, je dispose d'une entière liberté d'agir, et toute action que j'entreprendrai déterminera qui je deviens. Bien sûr, j'ai reçu une éducation, je partage de nombreuses valeurs véhiculées par ma culture. Psychologues, sociologues et urbanistes peuvent prévoir mon comportement, mais *l'important c'est ce que je peux faire de ce qu'on a fait de moi.*

Cette liberté qui surgit de l'absurdité de l'existence ne peut être considérée comme une libération des contraintes de la vie, ni une occasion de déjouer les lois que la société impose à tous; elle est une disposition qui toujours fut mienne et que je découvre peu à peu en vieillissant. Cette liberté n'a de limites que la liberté des autres, dont l'existence est tout aussi absurde que la mienne. Ma liberté côtoie celle des autres. En ce sens, la liberté nous rend tous frères et non compétiteurs. *L'existentialisme* est un humanisme**, affirmera Sartre.

Ma liberté sera l'occasion de devenir autre chose, quelqu'un que je ne suis pas encore. L'élève qui veut devenir ingénieur ne l'est pas encore, c'est pourquoi il étudie. C'est cette volonté de devenir ingénieur qui le motive. En ce sens, il est déjà ingénieur, de la manière suivante: il sait qu'il n'est pas encore un ingénieur, cela lui manque. S'il n'est pas médecin, il ne veut pas le devenir. Être médecin n'est pas un élément qui manque à sa vie actuelle; en revanche, être ingénieur lui fait défaut. C'est ce manque, ce «n'être pas encore» qui plonge l'être humain dans le futur, dans un projet* de devenir quelqu'un, de réaliser quelque chose. La liberté entraîne que je puisse devenir quelqu'un que je ne suis pas en ce moment. Donc, que je comprenne mon futur comme absent de mon présent, que je sois responsable de la réalisation de ce *peut-être*.

Il n'y a donc pas de nature humaine (d'essence humaine); il faut exister avant d'être défini par nos actions. Un marteau est défini par sa forme, son essence étant de planter des clous; cependant on ne peut en dire autant de l'être humain (Wilson, au chapitre suivant, contredira cette prémisse). Il existe bien une condition humaine : elle s'incarne dans cette liberté que nous possédons sans l'avoir demandée, une liberté qui échappe à l'univers des choses, une liberté en situation dans un monde d'objets. L'être humain se retrouvera dans le monde adulte avec des projets, il cherchera à être heureux, à s'échapper des situations malheureuses. Or, c'est précisément la conscience d'une lacune dans notre bonheur qui nous pousse à agir. Si ma situation présente est insupportable, c'est que je peux envisager un monde meilleur. C'est la possibilité de ce bonheur qui me fait rejeter la situation présente, car je peux dorénavant entrevoir une situation plus avantageuse. En voici un bel exemple : durant la Révolution française, ce sont les gens les plus assujettis au pouvoir du roi qui s'opposèrent à la révolution bourgeoise. Les Parisiens, affranchis du système seigneurial depuis longtemps, furent les plus ardents révolutionnaires. Pourquoi? Parce que les gens de la campagne, les Vendéens, par exemple, vivaient directement sous le joug des seigneurs et ne connaissaient rien d'autre. Les citoyens de Paris pouvaient entrevoir un régime politique où ils disposeraient d'une plus grande liberté. Cette liberté n'existait pas, même comme absence, pour le paysan éloigné de la capitale.

b) L'angoisse

Pourtant je suis bien là-bas dans l'avenir, c'est bien vers celui-ci que je serai [...] que je me tends de toutes mes forces et, en ce sens, il y a déjà un rapport entre mon être futur et mon être présent. Mais au sein de ce rapport, un néant s'est glissé: je ne suis pas celui que je serai. D'abord, je ne le suis pas parce que du temps m'en sépare. Ensuite, parce que ce que je suis n'est pas le fondement de ce que je serai. Enfin, parce qu'aucun existant actuel ne peut déterminer rigoureusement ce que je vais être. Comme pourtant je suis déjà ce que je serai (sinon je ne serai pas intéressé à être tel ou tel), je suis celui que je serai sur le mode de ne l'être pas. [...] C'est précisément la conscience d'être son propre avenir sur le mode du n'être-pas que nous nommerons l'angoisse.

Ce passage difficile explique que si nous choisissons notre futur, si nous existons librement, cela entraîne qu'à partir de ce moment nous sommes responsables de ce que nous accomplissons ou ratons. Alors surgit l'angoisse*: la peur d'avoir peur, la conscience de ne pas être «à la hauteur».

Une des expériences les plus traumatisantes que nous puissions vivre est d'avoir à nous produire pour la première fois en public. L'attente permettant d'anticiper notre performance à venir, c'est alors que surgit le trac, la peur d'échouer, d'être ridicule. Si nous pouvions imputer cet éventuel échec à des causes incontrôlables, nous serions soulagés; mais nous savons qu'un échec sera perçu par les spectateurs comme *notre* échec, que nous aurons à en assumer le blâme et que nous serons ridiculisés.

Discours public, performance scénique, compétition sportive ou entrevue font ressortir la responsabilité de nos actes. Ces manifestations n'offrent aucune excuse devant l'échec: ce sera forcément nous qui aurons failli à la tâche. L'alpiniste devant la montagne à vaincre peut s'imaginer au sommet, mais y arrivera-t-il? Manquera-t-il de courage? «Ce que je suis n'est pas le fondement de ce que je serai» signifie pour l'alpiniste que, malgré son expérience passée, malgré tous ces monts vaincus, rien *maintenant* n'assure la réussite de sa prochaine ascension. L'angoisse résulte de cette conscience pour l'alpinisme d'être seul et d'être libre de réaliser son futur.

L'adolescent qui marche en compagnie de celle qu'il aime est angoissé à l'idée de prendre sa main, car il sera jugé sur cet acte. Seule l'action pourra dissoudre son angoisse. L'angoisse est plus que la simple peur de quelque chose, *elle rend le présent sans présence.* Sitôt le geste accompli, toute angoisse s'évanouit, le futur possible est devenu un présent certain. Tant que n'est pas entreprise la démarche que nous envisageons, l'angoisse peut nous ronger. Le professeur qui a l'habitude d'enseigner ne se tourmente pas avant de donner un cours, l'habitude et l'expérience ayant effacé les «ridicules possibles». Pourtant, s'il doute soudain de ses capacités, pour une raison quelconque, cette angoisse ressurgit aussitôt. Un entraîneur d'une équipe de baseball professionnel expliqua un jour que ce qui distinguait ce sport des autres, c'était que le frappeur dans le *cercle d'attente* avait le loisir de penser à sa confrontation future avec le lanceur adverse. Cet entraîneur, qui ignorait probablement le nom de Jean-Paul Sartre, venait d'expliquer l'essentiel de l'angoisse.

c) La mauvaise foi*

L'angoisse inhérente à la liberté est difficile à assumer. Le joueur compulsif qui ne veut plus jouer ou le toxicomane qui veut se libérer de sa dépendance doivent trouver chaque jour la force de poursuivre leur route, et ce devant chaque tentation. Ces personnes ne peuvent pas décider une fois pour toutes de ne plus céder à leur penchant. Chaque fois que la tentation se manifeste, elles doivent exercer leur volonté de continuer. Par analogie, la personne qui décide d'agir librement est responsable de sa destinée, sujette au regard et au jugement d'autrui. La liberté exige un effort surhumain.

L'adolescent peut faire semblant de toucher accidentellement la main de sa compagne afin de vérifier sa réaction. Le frappeur dans son cercle d'attente peut feindre de ne pas supporter la chaleur, elle pourrait être la cause d'un échec éventuel. Ces attitudes de mauvaise foi ont en commun qu'elles *rejettent la responsabilité d'agir en invoquant des conditions extérieures qui nous empêcheraient d'exercer notre liberté.* Sartre expliquait ainsi la perte de conscience de certaines personnes, lors d'entrevues ou de situations traumatisantes. L'évanouissement permet à l'individu de redevenir une simple chose sans responsabilité, un objet sans liberté dont on doit s'occuper. À ce moment-là, nous *sommes* de mauvaise foi. L'adolescent invoquera le hasard qui a joint leurs mains, le frappeur, les conditions climatiques, la personne évanouie, sa faiblesse de constitution. L'individu qui use de mauvaise foi afin de se soustraire à sa responsabilité ne ment pas, *il est menti*: il est dans un état mensonger auquel il finit par croire. Le véritable problème de la mauvaise foi, dit Sartre, vient de ce que la mauvaise foi est *foi*.

La mauvaise foi est surtout affaire de choix de vie. Une attitude courante afin de dissoudre l'angoisse est de se soumettre à un choix arbitraire qui dictera notre manière de vivre. Nous choisissons de ne plus prendre personnellement de décisions, mais de se reposer sur un principe, une science, une croyance, un parti politique, un clan, peu importe. Cette femme qui *abandonne* sa main à celui qui la courtise et ne réagit pas, dit Sartre, use de passivité afin de ne pas choisir. C'est la ténacité de l'autre qui décidera, elle métamorphose sa main en «objet de convoitise».

Beauvoir et Sartre ont dénoncé dans leurs écrits cette lâcheté qui consiste à adopter une manière de juger ou de vivre qui nous déresponsabilise de nos actions et nous soustrait au jugement des autres (l'effet Ash en psychologie). Celui qui croit en Dieu et se soumet à une grille morale, celui qui se plie aux suggestions d'un astrologue, celui qui abandonne son pouvoir politique à un dictateur, ceux-là sont de mauvaise foi. Ce n'est ni Dieu, ni l'astrologie, ni la politique du parti qui sont faux; c'est d'adhérer à leurs prescriptions afin de fuir une liberté angoissante, de fuir la responsabilité de nos actes.

La mauvaise foi prend souvent une tournure anodine. Celui qui aliène sa vie dans le travail, qui se passionne pour la collection ou la fabrication d'objets et y consacre toutes ses énergies, celui-là fuit son existence. Il ne fait que s'occuper à vivre. Son temps est dissout dans des tâches à accomplir, il *devient chose parmi les choses*. Celui qui joue à être un personnage public se cache derrière un masque porteur d'obligations professionnelles qu'il prend au sérieux. Combien de médecins ou de soldats, par exemple, abandonnent leur jugement au serment d'Hippocrate ou à la voie hiérarchique? D'autres fuient leurs responsabilités en adoptant une attitude puérile, invoquant l'irresponsabilité de l'enfance. D'autres *font comme tout le monde* et se plient à la popularité d'une opinion (on en trouve un bel exemple dans une nouvelle de Sartre, *L'Enfance d'un chef*). Certains deviennent aventuriers et refusent de se donner un projet de vie, de faire face à la condamnation de Sisyphe. D'autres nient à la pensée sa liberté, et limitent leur vie à la possession de biens, au quotidien ou au discours scientifique.

L'acte de mauvaise foi le plus banal consiste à refuser de s'engager, de choisir ou de prendre parti. Pourtant, ne pas choisir, c'est encore choisir. De même, parler, c'est agir. Nommer une chose, une situation, c'est l'identifier, la sortir de son innocence, disait Sartre: «Après tout, ces gens-là ne sont qu'un paquet de cartes», s'écrie Alice. Il en est ainsi de ces remarques: «C'est un musulman», ou «Savais-tu qu'il a déjà fait de la prison?» Quand on reproche aux gens d'avoir des préjugés, ils répondent: «Oh, je mentionne cela en passant», ou encore: «Je dis cela sans malice. C'est un fait, c'est tout.» Mais un fait devient un fait quand nous le décrivons, et une information devient telle quand nous la rendons publique. Nous cacher derrière l'existence d'états de fait et prétendre n'être qu'un simple porte-parole est de la mauvaise foi. La parole n'est jamais tout à fait anodine, car elle dévoile notre jugement.

On le voit bien, si nous sommes libres, nos actes nous responsabilisent et, en conséquence, nous avons tous des angoisses et sommes tous, à l'occasion du moins, de mauvaise foi, engagés dans une croyance qui nous évite d'être jugés. Sartre ira jusqu'à suggérer que, en voulant être de bonne foi, nous sommes encore de mauvaise foi.

II - Le sujet humain

L'être humain n'est pas simplement un objet vivant, il se sait exister. Cette existence fait de lui un être déchiré entre sa conscience et son corps, entre son regard et celui des autres. Tout comme Freud, Sartre usera de termes descriptifs afin d'expliquer les composantes humaines.

a) L'être-en-soi*

L'être humain est une chose soumise aux lois de la physique et de la biologie. Comme l'être-en-soi, il est un objet sans conscience. Une barre de fer est faite de fer. *En* soi, elle n'est que du fer, elle est identique à soi, sans rapport à soi. L'humain en soi est formé de cellules, de tissus et d'organes. Il est un être vivant sans rapport à soi, parce qu'il existe sans devenir ni liberté. Toute connaissance que nous possédons sur l'objet humain consiste en une simple description des phénomènes qui sont là, sans autre raison que l'exigeante complexité de la matière organique.

Comme toute autre «chose», l'être humain est déterminé par des conditions matérielles auxquelles il ne peut se soustraire. L'humain est un être-en-soi, sous quatre aspects. Il est déterminé d'abord par son corps: son sexe, sa santé, son âge, etc.; ensuite par son passé: ses origines, son éducation, ses expériences, etc.; puis par sa situation présente: ce qu'il fait, ce qu'il possède, etc.; et finalement par sa mort, son usure en tant qu'objet.

b) L'être-pour-soi*

La présence s'obtient en s'éloignant de l'objet dont on se rend présent.

Le pour-soi, en tant qu'il n'est pas soi, est une présence en soi qui manque d'une certaine présence à soi, et c'est en tant que manque de cette présence qu'il est présence à soi.

Certains récits mythiques parlent d'un dieu qui tira l'univers du néant, un état où rien n'existe. À l'opposé, faire en sorte que quelque chose retourne au néant revient, non pas à le détruire, mais à le faire disparaître totalement. C'est l'action que désigne le verbe «néantiser». À sa manière, l'être humain crée des présences et les néantise. Si je cherche un ami à la cafétéria, au moment où mon regard se pose sur quelqu'un, je rends cette figure présente à moi et *néantise* le reste du décor. Si ce n'est pas la bonne personne, je la néantise à son tour. En sortant de la cafétéria, je peux affirmer que mon ami n'y était pas. J'affirme y avoir vu l'*absence* de cet ami. Le décor du regard humain est ce jeu de présences et d'absences, d'apparitions et de néantisations.

Chacun de nous possède un regard qu'il ne peut partager, car il fait partie de son intimité. Chez Sartre, l'être-pour-soi est ce regard, synonyme de conscience. Mais cette conscience est toujours une *conscience de quelque chose d'autre qu'elle-même*. Tout phénomène dont je prends conscience se pose devant moi comme distinct de moi. Devient présent pour moi ce dont je peux m'éloigner, ou que je peux distinguer de moi, mettre à portée de mes sens. Alors, peut-on être conscient de soi? Peut-on s'éloigner de soi-même, être un regard se regardant? Le miroir me permet de prendre du recul face à mon corps, de le voir comme un autre le voit, *mais pas de me voir me regarder*. On peut observer ses yeux dans un miroir, une lueur, rien de plus: l'image dans le miroir ne regarde pas. La conscience de soi oblige à regarder un objet et à se dire: cet objet est moi, ce qui devient aussitôt un mensonge à soi. La conscience permet de nous scinder en deux, comme le manifestent les expressions : «je me lave» ou «mon bras». Quand je suis sous la douche, savon en main, j'investis mon corps, je m'assimile à lui; pourtant, il suffit que je regarde mon bras, que «je» prenne conscience qu'il lave un corps (le «me») sous une douche, pour qu'il devienne objet présent à moi, un objet autre que moi qui regarde. *Un corps n'a pas de regard.*

Même l'intimité de ma conscience n'échappe pas à ce sentiment d'étrangeté à soi quand je suis conscient de moi comme objet. Je suis triste, je ressens une tristesse, en moi il y a ce sentiment. Si je «recule» afin d'étudier cette tristesse, comme si je regardais un autre ou mon bras ou mes yeux, alors je néantise cet être triste que j'étais. Cette tristesse n'est pas ma conscience d'elle, cette tristesse n'est plus moi et j'hésite alors à me reconnaître en elle. Je suis conscient de cet état de tristesse qui fait mal, *mais cette conscience n'est pas triste*.

Si je néantise mon être-en-soi en sa présence, dira Sartre, c'est que la prise de conscience de mon corps ou de mon passé, par exemple, transforme mon corps et mon passé en simples corps et passé. Par contre, ma conscience restera toujours mienne. *Elle est un manque d'être quelque chose de présent devant moi*, elle ne peut m'apparaître comme un être-en-soi, elle nécessite un «de quelque chose» afin de s'activer. En soi, la conscience n'est rien, n'a aucune matérialité, elle n'existe que quand elle apparaît comme regard: *la conscience est pur néant.* La présence à soi est une connaissance de soi comme objet qui engendre une fissure dans l'être humain, car ce que je connais est toujours présent devant moi, je m'en éloigne. Si la présence s'obtient en «prenant ses distances», «je» est présent par ce manque de pouvoir être présent devant soi, même devant un miroir. Cette condition d'être de la conscience est ce néant qui s'oppose au monde des choses. Il existe un néant au cœur de l'être humain, un néant proprement humain qui regarde. Être conscient, c'est maintenir la vie à distance de soi, incluant cet être-en-soi que je suis et qui peut être présent à moi, même si je ne suis séparé de lui par absolument rien.

c) L'être-pour-soi et les projets

> *Il y a un futur parce que le pour-soi a à être son être au lieu de l'être tout simplement.*

C'est dans cette distance à soi que se forge notre futur, où chacun s'efforce de devenir un «être-en-soi-pour-soi». Le futur envisagé vise à réduire le vide que ma conscience engendre quand je ne suis pas encore ce que je veux être, et quand je suis encore ce que je ne veux pas ou plus être. Cette montagne que l'alpiniste veut escalader, il peut s'y voir au sommet, il y est déjà par anticipation. En lui existe une scission entre ce qu'il est (être en bas) et ce qu'il aspire à être (être au sommet). À cet instant même, il est deux êtres en un: un être présent qui se projette vers un être possible dans l'avenir. Notre quotidien est meublé de défis anodins où nous pouvons soit devenir «alpinistes», ou soit, comme les touristes (et être de mauvaise foi), prendre une route déjà tracée et sans obstacles.

La reconnaissance d'un être-pour-soi en chaque être humain montre qu'il n'est pas exactement ce qu'il est quand nous constatons ce qu'il est advenu de lui à un moment de sa vie. Il est déjà autre chose que ce constat fait à propos de l'objet humain; il est en cours de devenir ce qu'il n'est pas, sinon il n'avancerait pas dans la vie. Il n'a pas la plénitude d'être des choses. Une pierre est pierre et restera pierre, tout ce qui la changera viendra du dehors. Mais, avec l'être-pour-soi, un «trou d'être» s'est produit, une inexistence est apparue, quelque chose dont on ne peut faire un constat de matérialité. L'existence humaine est conscience d'un défaut à être ce que nous désirons, d'un manque quotidien à être identique à notre volonté d'exister.

d) L'être-pour-autrui*

> *Je suis responsable de mon être pour autrui, mais je n'en suis pas le fondement.*

> *Je vise autrui en tant qu'il est un système lié d'expériences hors d'atteinte dans lequel je figure comme un objet parmi les autres.*

Les rapports humains ont ceci de particulier qu'ils s'engagent d'une manière asymétrique. Je regarde l'autre et l'autre me regarde, mais ce n'est pas son regard que je vois, c'est son corps, son état présent. Si je le connais, c'est aussi grâce à une portion de son passé dont je me souviens. C'est forcément par la dimension «chose» que l'autre est présent à moi. Même raisonnement pour celui qui me regarde. Notre être-pour-soi est insaisissable par les autres comme être-pour-soi. Dans le quotidien, nous oublions cet écart entre l'autre comme objet et l'autre comme sujet pensant. Ces êtres que j'évite en marchant dans un corridor sont des objets à éviter; celui que je reconnais et salue est un «objet» connu, sujet vague auquel je n'ai pas le temps de m'attarder. Si je m'arrête un moment pour parler à quelqu'un, il devient alors plus qu'un simple objet, il devient proprement humain: plus le contact s'établit, plus l'autour peuplé d'objets s'évanouit. Nous vivons ainsi jour après jour sans y prêter attention.

Pourtant, à l'occasion, un incident nous fait prendre conscience du regard d'autrui. Je marche en chantant ou en me jouant dans le nez, peu importe: je suis seul. Soudain, je me rends compte que quelqu'un me regarde, quelqu'un que je n'avais pas vu. Mon monde vient de basculer. Il y a un instant à peine j'étais seul au centre de mon monde; maintenant, je suis un objet dans le monde d'un autre, un objet sous son regard. Ma conscience d'être objet du regard de l'autre agit comme un miroir dans lequel je m'efforce de me voir comme autrui en restant soi. Nous avons tous vécu de tels moments. *Le regard d'autrui m'éloigne de moi-même et me rend présent à moi.* Dès que nos rapports aux autres sortent de l'automatisme, dès que nous prenons conscience des autres, dès que nous établissons avec eux des rapports authentiquement humains, nous nous scindons en deux. Nous devenons mutuellement objet sous le regard de l'autre. La relation à l'autre en est forcément une à un objet, même si c'est cette conscience de l'autre que je vise, d'où son caractère conflictuel. Nous ne serons jamais dans cette situation en parlant à un animal domestique, ou à un éventuel robot de forme humaine.

Ce qu'il y a de terrible pour Sartre, c'est précisément ce pouvoir des autres à me réduire à une chose. Les enfants sont particulièrement cruels à ce chapitre. «Tu es gros», «tu es laid», «tu as un grand nez», «espèce d'échalote»: peu importent les termes utilisés pour ridiculiser un enfant, cela le blesse infiniment plus qu'une agression physique. Il n'est pas superflu de mentionner que Sartre souffrait de strabisme et que ce défaut physique lui a valu de telles humiliations. Par-delà ces jeux mesquins, ce que les autres nient, c'est que je sois en devenir. Mes copains me réduisent à ce qu'ils connaissent de moi. C'est encore plus vrai lorsque survient une ancienne connaissance. Cet être que nous avons connu est aujourd'hui un étranger et l'évocation de ce que nous étions (fais-tu encore ceci ou cela?) nous rappelle un être à qui nous sommes étranger maintenant. L'autre ne connaît pas ma situation actuelle, mon élan vers demain. Il se fait une idée de moi, non pas d'après mes projets, mais selon mon corps qu'il compare à jadis (tu as changé, où travailles-tu?), et selon des éléments de mon passé (et que devient tel autre? le vois-tu encore?).

L'être-pour-autrui est cette partie de chacun qui existe à cause du regard des autres. Toutefois, ce n'est pas ce que les autres pensent de moi, mais bien *la manière dont je me vois de l'extérieur parce que leur regard m'oblige à me distancer de moi-même.* Bref, autrui me vole mon monde, car lui aussi regarde. Si je ne me défends pas, je deviens ce qu'il veut que je sois, son regard prenant possession de moi. C'est pourquoi Sartre affirmera que l'*en-*

fer, c'est les autres, et que Dieu est cet autrui abstrait porté à la limite de sa fonction : me juger.

La honte est un sentiment authentiquement humain, car elle n'existe que dans notre être-pour-autrui. Je converse à la cafétéria en mangeant, puis je vais chercher un café; je croise des gens que je salue, auxquels je m'attarde à parler; je vais aux toilettes et devant le miroir, oh horreur! j'aperçois cette tache de sauce sur mon menton. Je me revois traversant la cafétéria, parlant à ces gens, une tache au menton, et j'ai honte. Pour eux, j'étais un objet taché; un chien aurait été porté à la lécher, sans plus, et ça m'aurait amusé.

Mais notre être-pour-autrui est plus riche encore: on peut piéger le regard des autres. La mode et toute attitude étudiée le montrent chaque jour. La mauvaise foi est un élément majeur de notre être-pour-autrui: *j'existe alors pour moi comme connu par autrui à titre de corps.* Ce serveur de café qui doit déambuler sous le regard des clients et qui choisit de jouer son rôle en faisant des gestes appliqués, et en marchant avec style, ce serveur se dissout dans une image stéréotypée et, ce faisant, déjoue le jugement des autres. Cette manière de se proposer au regard des autres est aussi partie intégrante de notre être-pour-autrui. Sous cet aspect, nous souffrons moins d'être une image, car nous la contrôlons.

III - L'amour

> *L'âme d'autrui est donc séparée de la mienne par toute la distance qui sépare tout d'abord mon âme de mon corps, puis mon corps du corps d'autrui, enfin le corps d'autrui de son âme.*

Les rapports humains mettent en jeu une relation entre un pour-soi et un en-soi médiatisé par un pour-autrui. Ce sont dans les rapports entre hommes et femmes, ou dans tout rapport affectif et potentiellement sexuel, que se joue principalement, et sans que nous puissions l'ignorer, la relation sujet-objet.

Une étude amusante sur le comportement d'hommes parlant à des femmes portant des tenues au décolleté plongeant notait que les regards masculins se posaient sur les seins à une fréquence très supérieure à une fois par minute. Cette situation fort courante met en évidence une relation sujet-objet qui s'établit entre hommes et femmes. Évidemment, ces femmes remarquaient la direction des regards, ce qui gênait les hommes. Le culte de la femme-objet met en évidence la communication problématique en jeu dans les relations amoureuses. «On ne naît pas femme, on le devient», affirmait Beauvoir dans *Le Deuxième Sexe*, celle précisément qu'on étiquetait comme: «compagne de Sartre».

C'est de la liberté de l'autre dont nous voulons nous emparer.

L'amour (à distinguer de la simple activité sexuelle) met en jeu les trois composantes humaines et, de ce fait, est un sentiment extrême où nous cherchons un engagement à la fois total et libre de la part de l'être aimé. On ne peut forcer l'amour. Si une personne vous aimait sous la menace d'une mort certaine, cet amour vous satisferait-il? Et si vous disposiez d'un philtre d'amour qui enchanterait la personne qui en aurait bu, serait-ce mieux? Ou si la personne aimée s'engageait par contrat, librement et avec une attitude raisonnable, à vous aimer pour une période de temps déterminée? Nous ne voulons pas que l'autre nous aime de force, sans conscience de cet amour, ou en étant raisonnable; nous voulons être celui dans lequel la liberté de l'autre accepte de se perdre. Qu'il renonce à aimer quelqu'un d'autre, qu'il manifeste un amour exclusif. Nous voulons plaire à l'autre, le séduire comme «chose», et nous voulons qu'il cherche à nous plaire, qu'il devienne une «chose» attirante pour nous. Quand une femme met du noir autour de ses yeux, elle les met en évidence. C'est le regard de l'être aimé qu'elle veut attirer à elle, et à elle seule. Et pourtant, chacun veut être aimé *pour soi*, et non simplement comme objet, même si nous voulons plaire physiquement (l'amour-amitié de Nietzsche).

Là réside le dilemme de l'amour, son caractère humain. Serait-ce possible d'aimer un automate qui imiterait un être humain à s'y méprendre, alors que nous saurions qu'il s'agit d'un automate? Non. À tout le moins nous lasserions-nous rapidement de cet amour mensonger. Si nous désirons l'être aimé physiquement, c'est plus que pour son corps. Quand vous conversez avec quelqu'un au téléphone, parlez-vous *au téléphone*, à l'objet? Non, et pourtant oui. Il est nécessaire de passer par l'intermédiaire de l'objet pour parler à l'autre personne, pour parler *à travers* le téléphone. De la même manière, quand vous tenez la main de l'être aimé, tenez-vous simplement une main? Comment une caresse est-elle possible? Que caresse-t-on? Si je désire le corps de l'autre, si je touche l'autre, ce n'est pas simplement pour ce corps en lui-même, sinon un automate ferait l'affaire. Nous voulons sentir ce corps *habité* par l'autre, cet être-pour-soi invisible, ce sujet qui existe comme moi et qui accepte de s'investir physiquement par amour. Voilà en quoi consiste le principe du désir sexuel: deux consciences s'incarnant l'une pour l'autre dans leur corps par la caresse.

Imaginez que vous marchez avec l'être aimé, main dans la main, et que vous vouliez tout d'un coup emprunter un certain chemin et que l'autre en choisisse un différent. Vous tirez son bras vers vous. L'autre personne résiste et tire vers elle. À ce moment précis, ce bras devient un simple objet inhabité, l'autre a quitté ce bras privé de sa liberté. C'est pourquoi un viol est si terrible: la victime ne trouve nul refuge, car son corps entier est pris en otage.

Ces remarques nous permettent de différencier érotisme et pornographie. Cette dernière ne montre que des corps, des «morceaux» de corps en mouvement, tandis que l'érotisme viserait à attirer le regard de l'autre vers notre corps dans un mouvement réciproque où nous rejoindrions l'autre par l'intermédiaire du désir.

L'amour manifeste clairement la dualité sujet-objet de chaque être dans ses rapports avec les autres. L'être sadique* torture l'autre et abolit sa liberté en le réduisant à n'être que son corps par la douleur, l'insulte ou le mépris, en lui refusant tout droit de regard. Le masochiste* se réduit à être un objet afin de piéger le regard du sadique. Ce jeu malsain ne concerne pas exclusivement l'activité sexuelle. Le dévouement inconditionnel d'un employé pour son maître impitoyable constitue une relation sadomasochiste dans la sphère du travail. La même relation asymétrique lie deux copains lorsque l'un devient le souffre-douleur de l'autre. Pour Sartre, une relation dans laquelle l'un des partenaires s'abaisse à être objet, alors que l'autre refuse d'être autre chose qu'un regard qui ne peut être jugé est inhumaine. *Seuls les humains peuvent être inhumains.*

IV - Synthèse

L'être humain est essentiellement un être-pour-soi, sinon il ne serait qu'une chose. Son essence est donc de n'être pas.

Sa conscience est la manifestation de cet être-pour-soi en relation avec les objets sur le mode d'une présence au monde. La liberté consiste en cette occasion d'accepter d'exister, d'être une présence active en projet. La liberté d'action me rend responsable de mes actes. Il m'est possible de refuser la liberté en invoquant des contraintes ou des forces extérieures qui guideront ma vie et m'imposeront des choix. Les distinctions entre l'homme et la femme sont, ou déterminées objectivement (être-en-soi), ou adoptées culturellement (être-pour-autrui). Être féminine ou masculin serait pour Sartre un exercice de mauvaise foi, le stéréotype étant une réduction à être un objet. D'ailleurs, mes choix créent une certaine image pour tous. Aussi suis-je responsable autant pour tous que pour moi de mes projets. Qu'adviendrait-il si chacun en faisait autant?

L'animal étant sans pour-soi, il demeure sans projet. L'essence du coupe-papier, selon Sartre, est dans sa forme; alors que celle de l'animal est dans sa programmation biologique.

Les rapports aux autres ne peuvent s'établir que dans un rapport sujet-objet, mais ils devraient viser à atteindre l'autre, au-delà de son apparence. Ce rapport est impensable avec les animaux (que certains prennent parfois comme «compagnons»). Toute relation humaine où l'un des partenaires se voit empêché d'être un regard est une relation inhumaine. L'amour et l'amitié tissent des liens proprement humains où tous les aspects de la personnalité entrent en jeu. Ces relations très intimes et fragiles sont banalisées par la routine quotidienne.

Les contraintes pesant sur la liberté que peuvent constituer les lois, la morale ou la culture en font des outils éventuels de mauvaise foi. Utilisées correctement, elles servent à limiter ma liberté afin de préserver celle des autres. Par ailleurs, nos connaissances rationnelles ne sont que des outils abstraits, des «choses invisibles», la connaissance véritable est intuitive, immédiate, consciente. Comme le souligne Sartre: «Il n'est d'autre connaissance qu'intuitive. La déduction et le discours, improprement appelés connaissances, ne sont que des instruments qui conduisent à l'intuition.»

La vie terrestre est insensée et la mort me rappelle constamment que je suis d'abord un objet, un être-en-soi. Nos connaissances objectives de l'être humain, comme la biologie ou la sociologie, s'en tiennent à cette dimension de l'être humain.

V - Critique

On a reproché à Sartre son style hermétique ainsi que le caractère abstrait de son approche. On lui a aussi reproché son dédain pour les données scientifiques. Plusieurs de ses analyses de cas relèvent de l'explication psychologique. On a reproché à Sartre et à Camus l'absence de «retombées» pratiques de leurs réflexions. Une éthique existentialiste se fait toujours attendre, quoique Simone de Beauvoir en ait posé quelques jalons. Mais peut-on construire une éthique sur le concept de conscience de soi?

La faiblesse majeure de la description existentialiste est qu'elle doit être acceptée par tous. Un chercheur français a dit un jour n'avoir jamais ressenti ce que Sartre mettait en évidence dans les sentiments de liberté, d'angoisse et de néant. Peut-on lui reprocher d'être de mauvaise foi? L'était-il? D'ailleurs, quelle est l'utilité d'une théorie qui doute de la bonne foi?

Plus sévère est la critique de la notion de conscience, que font Freud et Marx. Or, la conscience est la pierre d'assise de la réflexion sartrienne; si elle est le jouet d'autre chose qu'elle-même, que ce soit l'inconscient ou une appartenance de classe, alors l'existentialisme est un leurre auquel s'attache la raison. N'est-il pas utopique de croire que nous sommes libres de nos choix futurs?

Finalement, dire que l'amant ne veut pas posséder l'aimé comme on possède une chose, mais vouloir aussi s'accaparer sa liberté d'aimer, c'est décrire un amour romantique un peu adolescent. Nietzsche allait plus loin en traitant de ce rapport surhumain que Sartre pourrait qualifier de mauvaise foi, quoique la démonstration soit impossible. D'autre part, il laisse de côté la pratique amoureuse libertine, fondée sur le confortable sentiment d'être seul, et où la liberté des partenaires érotiques est non seulement préservée, mais essentielle. Encore une fois, nous pourrions invoquer la mauvaise foi, mais elle commence à sonner comme un *deus ex machina*.

Exercice

Décrivez une situation angoissante que vous avez connue personnellement et expliquez quelles libertés vous avez eu à assumer. Si vous avez usé de mauvaise foi pour évacuer l'angoisse, expliquez alors comment vous avez eu recours à une cause extérieure à votre bon vouloir. Attention, cet exercice ne se résume pas à décrire le contexte d'un mensonge!

Médiagraphie

BEAUVOIR, Simone (de) : *Les Mandarins*, Gallimard, 1963.

BEAUVOIR, Simone (de) : *Le Deuxième Sexe*, Gallimard, 1949.

CAMUS, Albert : *Le Mythe de Sisyphe*, Gallimard, 1942.

SARTRE, Jean-Paul : *L'Existentialisme est un humanisme*, Nagel, 1946.

SARTRE, Jean-Paul : *Huis clos*, (pièce de théâtre illustrant l'effet du regard d'autrui).

SARTRE, Jean-Paul : «L'enfance d'un chef» dans *Le Mur*, nouvelles, Gallimard, Le Livre de poche, nº 33.

VERNEAUX, Roger : *Leçons sur l'existentialisme*, Tequi, 1964.

VERNEUIL, Henri : *I comme Icare*, film français, 1979. (On y illustre l'effet du jugement d'autrui mis en évidence par les expériences d'Ash et de Milgram.)

10

Wilson et la sociobiologie

Le sujet génétique

La fibrose kystique est la maladie héréditaire la plus répandue au Canada. Il manque trois petites «lettres» aux 250 000 qui composent le «texte» du gène* défectueux. Cette omission dérègle le mécanisme des cellules pulmonaires et pancréatiques, entraînant la mort, le plus souvent à un âge où l'on ignore encore sa cruelle réalité.

Quand nous avons découvert que le cerveau était une machine électrique, certains cherchèrent la «bosse des maths» ou le «creux de la philo». On s'imaginait naïvement pouvoir projeter les aptitudes humaines sur une cartographie du crâne. On appela cette science la phrénologie. Les découvertes récentes en génétique ont suscité chez les apprentis sorciers un «discours sur les molécules» tout aussi ridicule. Ce que tente Edward Osborne Wilson avec la sociobiologie est plus subtil: démontrer que les déterminants génétiques imposent des bornes au comportement humain. Mais il serait naïf de croire qu'une liste exhaustive du répertoire génétique humain permettrait de comprendre les arcanes de notre existence. Les gènes ne se laissent pas apprivoiser si aisément.

I - L'être humain est un animal

Les abeilles voltigent ici et là, au gré des substances qui les interpellent. Miraculeux nous apparaît ce retour à l'essaim. Nous invoquons l'instinct, une heureuse programmation, pour justifier cette aptitude à trouver les champs de fleurs. De même, nous invoquons ces automatismes afin d'expliquer le pèlerinage des fourmis vers une bouteille de jus posée sur l'herbe. Si nous n'étions pas un sujet humain, pourrions-nous décrire ainsi nos comportements, sans sujet romantique et vivant, habité d'intentions et faisant preuve d'intelligence? Chercherions-nous à comprendre la programmation humaine?

En termes humains, l'abeille qui trouve du nectar revient à la ruche et exécute une danse en forme de «huit», l'axe du huit indiquant la direction, le nombre de tours, la durée du vol. Une fourmi dépose des molécules odorantes à l'allée et au retour. La goutte de jus qui a coulé du rebord du contenant a guidé la fourmi. Ses consœurs ont suivi ses indications et, rapidement, une route olfactive a provoqué une circulation dense. Ramassée par son possesseur dégoûté, la bouteille est jetée à la poubelle. Les fourmis qui quitteront ce site dorénavant sans intérêt ne déposeront plus de molécules odorantes, et les traces de la route s'évanouiront au vent. De même, certaines pancartes et une route mènent à une ville fantôme qui jouissait jadis d'un filon de minerai désormais épuisé. Sans entretien, ces traces s'usent lentement, suggérant des indications et un sentier désuets.

L'être humain se sait différent des (autres) animaux. Il possède l'intelligence et les outils, sans compter la conscience et la parole. Pourtant, l'araignée tisse sa toile, des fourmis font l'élevage de pucerons dans des enclos afin de puiser leur lait. De nombreuses espèces communiquent entre elles par des voies multiples et diverses. Nous savons maintenant que, dans toutes les espèces, y compris chez les humains, *l'organisme se développe selon un projet établi dans ses gènes*, un ensemble complexe de molécules, sujet que nous aborderons plus loin. Une souris possède 80% du matériel génétique humain. De fait, très peu de «droits d'auteur» sont nécessaires au passage de la souris à l'humain. Respiration pulmonaire, digestion intestinale, pompe cardiaque, locomotion sur les pattes arrière, manipulation d'objets par les pattes de devant, vision, audition et olfaction, concentration des informations dans un cortex cérébral, transmission nerveuse et ainsi de suite, tout cela est déjà inscrit dans le programme génétique de la souris. Cette constatation se répète chez le chat et le chien, et surtout chez le chimpanzé.

Le code de ce singe anthropoïde d'Afrique équatoriale diffère très peu de celui de l'humain. Le chimpanzé est plus près de nous que le loup ne l'est du chien (le chimpanzé partage avec l'humain 98,4% de son code génétique; le gorille, 97,7%). Il possède des capacités intellectuelles que nous n'accordions jadis qu'à l'espèce humaine. L'encéphale du chimpanzé est trois fois plus petit que le nôtre et son larynx ne permet pas de produire un langage articulé. Par contre, certains chimpanzés peuvent communiquer avec nous grâce au langage gestuel des sourds-muets. Les plus intelligents d'entre eux apprennent un vocabulaire de deux cents mots et ils assimilent les règles élémentaires de la syntaxe au point de pouvoir permuter correctement les composantes d'une phrase. Certains chimpanzés parviennent à comprendre des instructions aussi complexes que: «Si rouge sur vert (et non l'inverse), alors prendre le rouge (et non le vert).» Ils ont inventé des expressions nouvelles, comme «oiseau d'eau» (un canard), et «fruit pour boire» (une pastèque). Pourtant, aucun génie chimpanzé n'a réalisé l'union de deux phrases, comme «Tu as une pomme» et «Je t'aime», en la proposition plus complexe : «C'est parce que tu as une pomme que je t'aime.» Voilà une limite de l'espèce, de sa capacité génétique. Si l'intelligence humaine a infiniment plus de possibilités que celle du chimpanzé, il demeure que l'aptitude à communiquer en utilisant des symboles et une syntaxe est à la portée du chimpanzé.

Un autre fossé récemment franchi concerne la conscience de soi. Après deux ou trois jours d'apprentissage, les chimpanzés cessent de voir un étranger dans leur reflet et utilisent le miroir pour explorer les parties jusqu'alors inaccessibles de leur corps. Le miroir est devenu un outil. On n'a jamais obtenu ce comportement de la part d'autres singes. De plus, les chimpanzés sont capables d'inventer des techniques et de les transmettre aux autres. Chaque procédure liée à un outil est limitée à certaines populations de chimpanzés d'Afrique, et elle se distribue dans l'aire géographique de cette population à la manière d'un comportement propagé culturellement.

Si ce qui différencie ce singe de nous n'est qu'une affaire de quantité et de détails morphologiques, alors qu'en est-il de nos limitations à nous, les humains? Les traits génétiques humains s'inscrivent dans la lignée des mammifères supérieurs. Nos ancêtres? Imaginez qu'un être supérieur apparaisse parmi nous, doté d'un quotient intellectuel moyen de 400, et d'un sens supplémentaire, et immunisé contre la plupart des virus qui nous menacent. Que nous arriverait-il en tant qu'espèce? Combien de temps survivrions-nous? Tel fut le sort des prédécesseurs de nos ancêtres.

*II - Vingt-trois paires de chromosomes**

Nous sommes membres d'une espèce sexuée qui partage avec tous les autres individus 99,9% de ses gènes. La variété des individus est une affaire de contexte, d'histoire, d'influence du milieu, de perception subjective et de... 0,1% d'originalité.

Un moine autrichien, Gregor Johann Mendel (1822-1884), fit des expériences sur des petits pois dans le jardin du monastère. Il publia en 1865 le fruit de ses découvertes: *les caractéristiques des géniteurs se propagent à leur progéniture selon une distribution mathématique, mettant en évidence des caractères forts (manifestés) et des caractères faibles (non manifestés).* Ses observations furent ignorées jusqu'au début du XXe siècle, où ces travaux furent relus à la lumière de la scission des chromosomes, observée dès 1870 et pierre d'assise de la sociobiologie.

Chaque noyau de chaque cellule humaine contient vingt-trois paires de chromosomes. Une moitié provient de la mère, l'autre moitié, du père. Chaque *chromosome* est constitué d'un filament d'acide désoxyribonucléique, l'ADN, formant une double bande en hélice où s'attachent quatre bases azotées, l'adénine (A), la cytosine (C), la guanine (G) et la thymine (T), liées deux à deux (T et A, G et C) et qui tiennent soudées les deux bandes. Chaque chromosome est formé de 3,5 milliards de lettres chimiques disposées en phrases. Une tare ou un défaut génétique est l'équivalent d'une faute de reproduction dans la copie d'un chromosome. Cette faute, si elle n'est pas mortelle, peut se transmettre.

L'ADN sert de matrice d'assemblage des acides aminés, puis des protéines, les structures moléculaires à la base du métabolisme des êtres vivants. Il s'agit d'une véritable chaîne de montage de molécules. Ce processus fort complexe est l'*expression du gène*. Nos gènes fournissent l'information permettant la composition des protéines; notre organisme assimile ces protéines. Un gène est une portion de la suite des lettres que forment les bases azotées A, C, G et T. Seulement 5% de nos gènes seraient proprement humains, le reste formerait un singe acceptable.

Les 100 000 gènes de la variété humaine commencèrent leur histoire il y a 570 millions d'années, quand la reproduction sexuée s'enclencha, unissant deux codes non identiques en une même cellule. Dès lors, la reproduction sexuée consista à former un nouvel ensemble de chromosomes au moyen des chromosomes du père et de la mère. Comme les gènes déficients, ou leur activation, sont plus rares chez les chromosomes hétérozygotes* (provenant d'une reproduction sexuée) que chez les chromosomes homozygotes*, il semble que ce mode fut favorisé car il produisait moins fréquemment des êtres non viables ou trop faibles. D'autant plus que la reproduction sexuée permettait un grand nombre de combinaisons aléatoires dont certaines s'avérèrent fructueuses. Nous ne savons pas pourquoi le nombre et la longueur des chromosomes s'accentuèrent, mais nous savons que leur reproduction n'est pas sans défauts et que certains de ces défauts produisirent de nouvelles formes de vie. *L'évolution serait le fruit de hasards heureux dans un bassin d'essais aveugles.*

Si chaque cellule contient tout le stock génétique transmis par les deux parents, aucune ne les exprime tous. Ainsi, seuls les gènes de la rétine de l'œil produisent les protéines responsables de la sensibilité à la lumière. Les gènes actifs sont déterminés très tôt dans l'embryon. Mais si certains caractères sont aisés à prédire (la couleur des yeux), car ils sont l'expression d'un seul gène, d'autres caractères (l'intelligence) sont le résultat de l'action de plusieurs gènes. De plus, un gène est producteur de protéines dont l'action est diversifiée et parfois répandue dans tout l'organisme. Souvent, il nous est impossible de pointer du doigt le ou les gènes responsables de certains traits spécifiques à chaque individu.

*III - Le calcul génétique**

Un petit jeu-questionnaire. Dans un logement en feu, diverses personnes gisent inconscientes. Vous ne pouvez sauver qu'une personne et la tentative est périlleuse. Y allez-vous? Pensez-y, imaginez la situation qui nécessite votre aide. Prenez l'exercice au sérieux. Et si vous pouviez faire une seconde et même une troisième tentative? Qui tenterez-vous de sauver?

- votre fils ou fille;
- votre père ou mère;
- votre frère ou sœur;
- le mari (femme) de votre sœur (frère);
- votre grand-père ou grand-mère;
- un voisin ou une voisine;
- votre chien ou chat;
- votre ordinateur ou tout autre objet précieux;
- rien ni personne, vous ne prenez aucun risque.

Chez certaines espèces de poissons, le mâle a pour tâche de protéger sa progéniture. On observera alors chez les femelles un comportement visant le choix des mâles les plus forts. Cette attitude favorise la survie de sa progéniture et la perpétuation de ses gènes. Ceux-ci se reproduisent donc au détriment des gènes des autres femelles. On dira de ce comportement des femelles qu'il est *égoïste*. Cet égoïsme se mesure par un *calcul sociobiologique**. Ce calcul prédit comment un individu va se comporter envers les autres en fonction du degré de parenté génétique qu'il partage avec eux. Si la raison ultime de tout être vivant est sa survie, *donc* la reproduction de son patrimoine génétique, alors ce calcul sociobiologique affirme que *le danger que tout individu accepte de courir, ou l'effort qu'il accepte de faire, est proportionnel au degré de parenté ainsi qu'au degré de risque, de perte ou de destruction qu'impliquent les actions entreprises en vue d'aider autrui.*

En faisant abstraction du bassin commun à l'humanité, un enfant partage en moyenne 50% de gènes avec ses frères et sœurs, et autant avec ses parents. Pour chaque parent, tous ses enfants ont la moitié de ses gènes. Selon son âge, l'individu a donc intérêt à assurer sa survie d'abord, puis celle de ses parents, frères et sœurs ou enfants. S'il est très jeune, l'individu privilégiera ses parents, car ils sont encore des reproducteurs potentiels (biologiquement et économiquement). À l'adolescence, ce sont plutôt ses frères et sœurs, ou ses partenaires sexuels, qui seront les mieux placés pour assurer la survie d'une portion de son code génétique. En vieillissant, frères et sœurs, mari et femme perdront leur intérêt génétique au profit des enfants. Des «étrangers» prendront même une certaine valeur, car ils seront des partenaires ou protecteurs acceptables pour leurs enfants. Notre égoïsme et tous nos mécanismes de discrimination tiennent à un petit 0,1% de différence à préserver !

Le gène paternel (Y) favoriserait le développement du fœtus, parfois au détriment de la mère, ce qui ne serait pas le cas du gène maternel (X). Il y aurait donc, dès la conception, un combat entre deux codes génétiques, chacun calculant son investissement dans autrui en vue de la survie d'une portion de son code. La future mère peut sacrifier l'embryon et en produire un nouveau. Le futur père ne peut tenir ce raisonnement pour assuré. La possibilité d'un avortement sécuritaire dans nos sociétés modernes a mis en évidence cette lutte des sexes.

Vos réponses au jeu-questionnaire confirment-elles cette logique? Une expression du moins la confirme: «Les femmes et les enfants d'abord.»

Certains comportements culturels semblent découler de ce calcul égoïste visant la survie d'un nombre optimal de porteurs de notre code. Le nombre d'enfants par famille dans les sociétés industrielles, surtout dans les familles riches, est moindre que dans les sociétés rurales. Il y est inutile de concevoir beaucoup d'enfants, car la survie de la progéniture est assurée par la stabilité sociale, l'excellence de l'alimentation et des soins médicaux de qualité. De même, la monogamie féminine si fortement encouragée dans nos sociétés aurait pour but de s'assurer de l'identité du géniteur. Certaines valeurs et croyances de groupe recouvrent des calculs sociobiologiques. C'est le cas du patriotisme, du racisme et de l'intolérance religieuse qui protègent les nôtres et rejettent les non-initiés, les étrangers. Ces comportements favorisent des alliances entre personnes possédant un capital génétique proche, car elles partagent des ancêtres communs. Évidemment, nous ne pouvons comparer nos gènes, aussi utilisons-nous des signes imprécis, comme la similarité des visages, de la peau ou des pratiques culturelles.

Par contre, les alliances entre proches parents augmentent la probabilité de gènes homozygotes, donc l'apparition de tares et de maladies héréditaires. Les gènes «récessifs» se reproduisent plus efficacement lors de relations sexuelles entre partenaires consanguins, de sorte que l'inceste est devenu un tabou universel. Cet interdit posé sur les relations sexuelles entre frères et sœurs, entre parents et enfants, est assuré dans le monde entier par des sanctions culturelles. Mais on trouve une aversion sexuelle plus profonde qui apparaît entre personnes ayant vécu ensemble jusqu'à l'âge de six ans. Ainsi, des études effectuées dans les kibboutz d'Israël ont montré que cette aversion entre personnes du même âge ne dépend pas du lien familial. Parmi les 2,769 mariages étudiés, note Wilson, aucun n'unissait des membres du même kibboutz élevés ensemble depuis la naissance. Et ce, en dépit du fait que les adultes ne s'y opposaient pas.

Pourquoi? Une des explications favorites est que ce tabou préserve l'intégrité de la famille en évitant les conflits entre père et fils (Freud dans *Moïse et le monothéisme*). Une autre explication, anthropologique celle-là, souligne qu'elle facilitait les échanges de femmes entre tribus. Pourtant, la lourde pénalité physiologique qu'entraîne la consanguinité suggère que ces attitudes culturelles sont des effets et non des causes. Une proportion même faible de consanguinité donne des enfants de petite taille, au développement musculaire limité et ayant des performances scolaires réduites. On a répertorié plus de cent gènes récessifs qui provoquent des maladies héréditaires à l'état homozygote (cellules qui possèdent en double le gène d'un caractère donné), état que favorise la consanguinité. Pire, chaque personne porte en moyenne quatre gènes qui entraînent automatiquement la mort quand ils sont à l'état homozygote. La consanguinité implique donc des risques graves pour la progéniture et la lignée. La sélection naturelle indique qu'une tendance à éviter les relations incestueuses, même si elle fut légère ou indirecte, a dû se répandre. Les avantages de l'exogamie ont entraîné une évolution culturelle. L'intégrité familiale et les unions extra-familiales en seraient les conséquences.

Cette attitude sexuée, mais non consanguine, entraîne donc l'acceptation d'un compromis: investir à 50% avec un partenaire dans une progéniture. De cette nécessité résultera le sentiment le plus manifesté chez l'être humain: l'amour. La très grande majorité des chansons, des fictions écrites, ainsi que des productions télévisées et cinématographiques ont pour thème central une relation amoureuse. *Le désir égoïste de se reproduire et se perpétuer est au cœur de calculs d'investissements dans la vie des autres et dans la collectivité.* Si nous pouvions nous reproduire seul, le narcissisme serait le sentiment ultime. Comme ce n'est pas le cas, nous devenons amoureux. Le narcissisme doit être un sentiment végétatif.

Que faire de mère Teresa? Où ranger ces gens qui, plutôt que de se reproduire, consacrent leur vie à améliorer celle des autres? Étant professeur et écrivain célibataire, la question m'a chatouillé.

Les gènes altruistes pousseraient l'individu à aider les autres indépendamment des liens parentaux. Examinons la rentabilité de ce calcul. Sauver quelqu'un en s'exposant à des risques minimes est un comportement rentable, car le rescapé pourrait par la suite nous rendre le même service. Ce calcul est à la base de la vie en groupe. Il ne s'agit pas simplement de cas extrêmes comme de sauver une personne du lieu d'un incendie, mais plus couramment de prêter de l'argent ou d'aider quelqu'un à déménager. À la longue, les gènes altruistes sont rentables; ils se mêlent et se répandent plus aisément que les gènes égoïstes. L'altruisme consiste à protéger une grande quantité de ses gènes dispersés dans la population. D'ailleurs, la protection de l'espèce préserve 99,9% de mes gènes.

Cette dualité entre égoïsme et altruisme se manifeste dans nos institutions. Le droit à l'héritage est d'abord un acte égoïste. Quand le legs cible des institutions, il devient altruiste. Les impôts et les taxes que nous payons sont des comportements altruistes. Tant que notre société sera stable, la part altruiste des individus sera favorisée, car l'investissement est rentable. Il suffit d'une crise économique, d'une pénurie ou d'une guerre pour que l'attitude égoïste prenne le dessus. À la guerre, ce sont les individus porteurs de gènes altruistes qui prennent des risques, et qui disparaissent les premiers.

Notons qu'un comportement altruiste favorise certains gènes égoïstes, et que l'égoïsme peut motiver un comportement altruiste. Je prendrai l'exemple d'une compétition cycliste. Imaginez deux routes parallèles de deux cents kilomètres. Sur la route de «droite», le champion du Tour de France; sur celle de «gauche» les vingt derniers cyclistes à avoir terminé ce même Tour de France. Qui va gagner? À première vue, le champion serait notre choix, mais c'est compter sans la résistance de l'air. Plus un cycliste va vite, plus il doit forcer afin de vaincre la masse d'air. À moins de courir juste derrière un autre cycliste, le champion ne peut se donner à fond de train durant deux cents kilomètres. Par contre, chaque cycliste du peloton peut se «défoncer» durant un kilomètre et se reposer dans la file pendant les dix-neuf kilomètres suivants. Un coureur moyen va beaucoup plus vite à fond de train pendant un kilomètre qu'un champion seul roulant à son rythme. *Aucun individu ne peut battre un peloton.* C'est pourquoi, lors des compétitions comme le Tour de France, les meilleurs cyclistes s'entourent d'une garde personnelle qui va s'auréoler de la victoire de son champion. Remplacez la course cycliste par la recherche de bien-être et le champion par des dirigeants politiques ou économiques et vous aurez une image précise du calcul sociobiologique qui a cours dans nos sociétés modernes.

La rentabilité des comportements altruistes a permis le développement d'outils culturels. De fait, la culture est le facteur décisif de l'évolution humaine. L'homo sapiens (homme qui pense) passa, il y a 100 000 ans, de l'évolution physique à la croissance culturelle. Nos sociétés ont hypertrophié ces structures à la manière des défenses de l'éléphant ou de la ramure du cerf, surtout par l'acquisition et le partage des connaissances technologiques. Nos comportements culturels sont fort mécanisés et expriment notre structure génétique. D'ailleurs, ils sont propres à toutes les cultures humaines: apaisement du surnaturel, bijoux, cadeaux, calendrier, commerce, cosmologie, coutumes pubertaires, danse, division du travail, éducation, fabrication d'outils, flirt, héritages, hospitalité, inceste, interprétation des rêves, noms propres, notion d'âme, plaisanteries, rites funéraires, salutations, sanctions pénales, sports, tabous alimentaires, etc. On pourrait établir une liste équivalente pour toutes les sociétés de fourmis. Ce théâtre de la vie humaine est reconstitué, génération après génération, avec une tenace volonté, avec le même calcul en toile de fond.

IV - Le robot humain

Chaque espèce est préparée à apprendre certains stimuli, incapable d'en assimiler d'autres, et indifférente à certains. Nous sommes habitués à considérer les limites des autres animaux, nous savons qu'une sauterelle se comportera en sauterelle. De la même manière, un humain se comportera en humain. Comme pour toutes les autres espèces, il manifestera les limites de sa prévoyance en période d'abondance, étant incapable de se dépasser: *nous sommes le produit de cette programmation génétique qui nous caractérise*. Une preuve impressionnante à l'appui du déterminisme génétique est l'observation de similitudes inexplicables entre deux jumeaux séparés dès la naissance et élevés dans des milieux différents. Les vrais jumeaux (issus d'un seul œuf fécondé) montrent de grandes similitudes dans leur idéologie, leurs buts et leurs vocations, leurs passe-temps, même quand ils sont séparés.

En voici un exemple (tiré de *L'Héritage génétique*) : Jim Springer et Jim Lewis, vrais jumeaux séparés quelques semaines après leur naissance, se retrouvèrent à trente-neuf ans. Ils avaient tous deux eu un chien appelé Toy. Ils avaient travaillé chez McDonald, dans des stations-service et avaient été agents de police. Ils s'étaient mariés deux fois. Tous deux avaient un fils prénommé James Alan. Les deux jumeaux passaient leurs vacances sur la même plage de Floride, conduisaient des voitures de même marque et de même couleur, buvaient la même marque de bière et fumaient la même marque de cigarettes. Leur maison respective était la seule du quartier dont le jardin s'ornait d'un arbre entouré d'un banc peint en blanc. Leurs résultats au même test de personnalité s'avérèrent quasiment identiques. En matière de sociabilité, de maîtrise de soi et d'ouverture d'esprit leurs résultats ne différaient pas plus que ceux de deux tests successifs d'un même individu. Les enregistrements de l'activité électrique de leur cerveau montrèrent des résultats si semblables que les chercheurs avaient du mal à les distinguer l'un de l'autre.

Moins spectaculaire, mais plus significatif est que, en général, les nouveaux-nés d'origines ethniques diverses se démarquent très rapidement les uns des autres par leurs réactions. En particulier, les mimiques d'expression des sentiments, comme la manière de sourire ou le haussement des sourcils. Ces traits faciaux et leur maîtrise se développeraient très tôt chez l'embryon, et ne nécessiteraient qu'un minimum d'apprentissage.

Examinons en gros comment un être humain assimile les variations de son environnement et comment il les pense en informations: son arc réflexe global.

L'être humain possède onze «fenêtres» par lesquelles il peut assimiler des changements dans son environnement et dans son être. Ces fenêtres détectent: des déplacements (œil), les formes (œil), une bande sonore (oreille), certaines substances liquides (bouche), certaines émanations gazeuses (nez), la texture de corps solides (surface de la peau), la dureté ou la résistance des objets (profondeur de la peau), la chaleur et le froid (peau), les contractions musculaires (muscles) et finalement des présences ou états irritants sous forme de douleur (un peu partout dans le corps).

Dans la lignée des vertébrés et des mammifères, l'être humain possède une masse nerveuse concentrée dans le crâne. Plus les espèces se sont développées, plus se sont complexifiées les connexions et les cellules nerveuses, formant des tissus nerveux intermédiaires entre les capteurs et les muscles. Le «cerveau» est une concentration de ces tissus; le plus important, le cortex, étant particulièrement développé chez les humains. Il compose plus de 70% de notre masse nerveuse cérébrale et est le plus grand consommateur d'oxygène de notre organisme. Sans lui, l'être humain est moins qu'une plante.

Le cortex humain est un tissu très mince (de 50 à 100 cellules d'épaisseur), d'une surface de 1 400 centimètres carrés. Ce tissu est ramassé en forme de boule (question d'aérodynamisme!). En examinant l'épaisseur de ce tissu, les biologistes ont discerné six couches, chacune ayant une vocation particulière. Ainsi, la quatrième couche sert à recevoir les stimulations en provenance des capteurs; la cinquième sert à envoyer une stimulation aux muscles. Les couches quatre et cinq composent en quelque sorte les ouvertures d'entrée et de sortie du cortex. L'organisation des zones sensorielles corticales (celles où la quatrième couche est développée) forme une topographie* sensorielle du corps, l'espace consacré aux influx en provenance de l'œil ou de l'oreille y occupant une large surface. De même, les zones où la cinquième couche est importante forment une topographie motrice du corps; une grande surface est assignée aux mains et à la langue qui sont capables de mouvements complexes. Les autres couches servent à associer les informations qui atteignent le cortex, entre autres à coordonner les deux lobes (tissus) du cortex.

Nous sommes habitués à voir des robots à l'apparence humaine, mais ici c'est l'inverse qu'il faut entreprendre. Imaginez l'ensemble des sens humains sous une forme technique: microphone, caméra, thermomètre, etc., tous reliés à la quatrième couche d'une plaque nerveuse. Ce tissu cortical peut être découpé en une soixantaine de zones, selon l'épaisseur de chaque couche le composant. Les zones où sont branchés nos sens sont des zones de traitement sensoriel. Par exemple, nous trouvons à l'arrière de la tête les zones de traitement d'images (notre vision). Si ces zones sont détruites, nous devenons aveugles. Certes, nous sommes encore sensibles aux formes et aux mouvements, car notre rétine est fonctionnelle, mais ces informations ne peuvent plus être traitées. Chaque zone corticale est assimilable à un processeur d'ordinateur, mais infiniment plus complexe. Chacune peut être stimulée (interrogée) par d'autres zones et les stimuler simultanément. Si nous pouvions voir ce tissu en son épaisseur devant nous, l'influx nerveux se manifestant comme un rayon, nous verrions des filaments lumineux voyageant en même temps d'un point à l'autre. Au bout du compte, dans la cinquième couche des zones motrices, un signal quitterait le cortex pour se rendre aux muscles.

Il est possible d'ouvrir la boîte crânienne et de stimuler le cortex d'un sujet vivant; cette expérience est faite à l'occasion sur des patients volontaires lors de chirurgies cérébrales mineures. Si on stimule le cortex de région en région, avec un faible courant électrique, le patient lèvera la main ou dira entendre un son, selon la région stimulée. Si toutes les entrées sensorielles d'une personne étaient coupées, cet individu n'aurait plus aucune information en provenance de son corps et de l'environnement. Nous pourrions nous en servir comme ballon, le brûler sur un bûcher ou l'expédier dans l'espace: *il n'en saurait rien.*

Nous pouvons imaginer une expérience fictive fort intéressante. Elle pourrait s'avérer réalisable dans un futur éloigné. Une personne est «débranchée» de ses sens; c'est maintenant un ordinateur qui la stimule. De même, toute stimulation envoyée aux muscles est dérivée vers un appareil qui les reçoit, les analyse, puis renvoie à la personne les stimulations sensorielles conséquentes. Bref, tout ce que perçoit notre cobaye est dicté par l'ordinateur. Nous pourrions alors construire des programmes qui permettraient à un être humain de «vivre» dans une réalité virtuelle, alors qu'en fait son corps reposerait sur une table, la tête branchée à l'ordinateur.

L'univers que nous percevons, fait de couleurs, de sons, d'odeurs et de textures, est le monde virtuel de l'espèce humaine (celui de Kant), et *devrait* correspondre à une réalité objective. Ce monde est la synthèse que peut produire le robot humain à partir des instructions de fabrication contenues dans son code génétique. Ce monde ne correspond pas à celui d'un chat ou d'un maringouin. Nous le présumons similaire chez chaque individu de l'espèce humaine, même si certains dysfonctionnements (délire, hallucination) nous indiquent parfois un dérapage de notre monde virtuel. Et le but fondamental de cette complexe élaboration est l'asservissement de l'environnement à la survie du programme ayant généré ce robot.

V - Synthèse

L'être humain est l'expression de son bagage génétique.

C'est l'identification du code qui définit l'être humain. Un être au code incomplet est un être incomplet, mais toujours dans la sphère du possible humain. La possibilité de création et de duplication de l'ADN en laboratoire remet en question le rôle du mâle et l'utilité de la paire de chromosomes XY. Le mâle humain pourrait à la longue subir le sort du faux bourdon chez les abeilles. L'espèce humaine pourrait alors développer culturellement des sociétés similaires à celles des fourmis, par exemple. D'ailleurs, la distinction homme/femme n'est pas aussi simple que la distinction des organes sexuels semble l'indiquer. Citons le cas exceptionnel d'une athlète diagnostiquée génétiquement «mâle». *Elle* possédait la paire de chromosomes XY, mais son organisme ne réagissait pas aux hormones favorisant les caractères de la masculinité. Ce gène ne pouvant s'exprimer, l'embryon se développa en femelle. Elle était *génétiquement* un homme, mais *somatiquement, morphologiquement* une femme. Plusieurs éléments mâles ou femelles se développent génétiquement, indépendamment de la «décision» de stopper la progression du tissu vaginal (ce qui produit l'aspect d'une femme) ou d'encourager cette progression hors du corps pour former un pénis (chez l'homme).

La conscience ne serait qu'un *épiphénomène**, soit la perception subjective de l'activité du cerveau ressentie par l'individu. Les propriétés de la conscience ne résideraient pas dans des neurones, mais dans des agencements, et parfois même dans des relations entre agencements de tissus neuronaux. La conscience serait une propriété émergeante de la complexité et de la spécialisation neurologiques.

Les autres animaux ne seraient que des races inférieures, antérieures, placées sur d'autres branches de l'arbre généalogique de la vie. L'humain imposerait de nouvelles adaptations aux autres espèces; pensons aux animaux d'élevage. L'activité médicale des humains pourrait même réaménager les bases de la vie. Ainsi, les bactéries deviennent de plus en plus résistantes aux antibiotiques et les nouvelles maladies sont plus ardues à combattre; ces microbes pourraient, à la longue, avoir raison du bagage génétique humain. Pensons aussi aux insectes et aux rongeurs exposés aux radiations de Tchernobyl qui, ayant survécu, ont subi en quelques années plus de mutations génétiques viables que leur congénères en plusieurs dizaines de milliers d'années.

Les rapports aux autres sont précontraints par nos impératifs d'investissements, rentables ou non. Notre capacité à vivre en groupe résiderait dans la capacité d'un calcul altruiste. La lutte économique de Marx serait un effet culturel de cette précontrainte, tout comme les rituels culturels concernant le tabou de l'inceste.

La première liberté exprimée par l'être humain serait sa capacité à choisir un calcul altruiste quand la vie sociale en favorise l'expression. La seconde liberté, toute nouvelle et beaucoup plus dangereuse pour l'apprenti sorcier humain, résiderait dans nos possibilités de manipulations génétiques. Il semblerait que les chromosomes, à travers le véhicule biologique, puissent atteindre un examen de leur existence et tenter une nouvelle lutte, un calcul à grande échelle: donner des yeux et une volonté déterminée à une évolution aveugle et hasardeuse.

Nos connaissances, nos croyances et notre technologie, limitées par nos capacités génétiques, favoriseraient des calculs plus altruistes. Si le sens de la vie se résume à la survie de macromolécules d'ADN, leur persistance est liée à l'établissement d'un environnement cellulaire; puis d'un environnement multicellulaire, les organismes; enfin d'une troisième couche environnementale, le milieu social. La réalisation de ces couches a nécessité une plus grande complexité de la part des codes génétiques, au point que leur environnement organique, surtout humain, devint autonome quant à la définition de ses buts. À sa manière, la structure sociale elle aussi aura ses exigences propres si elle devient une condition nécessaire à la survie de codes évolués, comme la fourmilière.

VI - Critique

La vision sociobiologique constitue une distorsion de la théorie darwinienne de la sélection naturelle. Il ne s'agit plus de montrer comment une transformation heureuse de l'organisme favorise la descendance du porteur, mais bien de supposer une intentionnalité (un calcul) de l'organisme. S'il est clair que la plupart des individus favorisent ceux qui leur ressemblent, cela peut être dû à l'éducation. La démonstration sociobiologique est convaincante, mais non nécessaire: elle met en évidence la présence d'un certain égoïsme chez chacun d'entre nous, mais nous savions déjà cela.

Un point délicat dans cette théorie : les comportements homosexuels. S'il est vrai que les comportements homosexuels apparaissent dans certaines espèces animales quand il y a surpopulation, cette observation n'explique pourtant pas de manière exhaustive les comportements homosexuels humains. Fait assuré, les Grecs de l'Antiquité ne souffraient pas de surpopulation. Quel calcul entre en jeu? Y aurait-il des gènes suicidaires? Certains ont suggéré une mauvaise «expression» des gènes, par analogie avec l'athlète olympique, concept que nous avons mentionné précédemment. Pourtant, jusqu'ici, toutes les tentatives de réduire un comportement psychologique ou culturel à une disposition *simple* des gènes se sont heurtées à des irrégularités statistiques: trop d'exceptions infirment la règle.

C'est le cas, non seulement de l'étude de l'orientation sexuelle, mais aussi de l'alcoolisme ou de la schizophrénie. Quant aux études portant sur la discrimination, qui visaient à démontrer la supériorité d'une race sur les autres, elles s'avérèrent un échec. En ce qui concerne les cas de jumeaux, les études menées sur de nombreux cas similaires montrent que celui qui a été cité dans ce chapitre est exceptionnel. Combien de milliers de points de comparaison sont possibles entre deux individus? De remarquables similitudes existent malgré des environnements différents, mais à quel point? N'oublions pas qu'on replace généralement les enfants dans des environnements proches de leur milieu de naissance, donc dans un bain culturel similaire.

Exercice

Décrire un geste humain simple en termes mécanistes, c'est-à-dire en éliminant toute référence à des éléments humains (exemple: une main est une pince à quatre têtes).

Faire le calcul sociobiologique d'un avortement ou d'une condamnation à mort.

Médiagraphie

CHANGEUX, J. P .: *L'Homme neuronal*, Fayard, 1983.

DURRELL, Lawrence : *Nunquam*, Gallimard, roman, 1980. (On y trouve une description plausible et épurée de tout animisme naïf d'un automate nommé Iolanthe.)

EDELMAN, G.M. : *Biologie de la conscience*, Odile Jacob, 1992.

HUXLEY, Aldous : *Le Meilleur des mondes*, roman, Plon, 1975 (*O Brave New World.*).

MAUROIS, André : «La Vie des hommes», dans *Pour piano seul*, nouvelles, Flammarion, 1960.

MONOD, Jacques : *Le Hasard et la Nécessité*, Seuil, 1970. (Une preuve que l'évolution tient au hasard des combinaisons fructueuses, fondée sur l'irréversibilité du tracé de l'ADN à l'organisme constitué.)

VERCORS : *Les Animaux dénaturés*, Albin Michel, 1952. (Le Livre de poche, nº 210)

WACHOWSKI, les frères : *La Matrice*, film étatsunien, 1999.

COLLECTIF : *L'Héritage génétique*, Time-Life, 1994.

COLLECTIF : *Les plus belles histoires des animaux*, Seuil, 1999 (en particulier la 3e partie, ch. II).

En guise de conclusion

I - Des outils complémentaires

La multitude de positions présentées dans ce volume, leur originalité, leur valeur explicative et leur utilité respective devraient suffire à convaincre le lecteur de la pertinence de notre conclusion : on ne trouvera pas *la* conception véritable de l'être humain.

Même si ces théories sont souvent rivales: Lorenz contre Skinner, contre Freud, Marx opposé à Platon, il est clair qu'elles ne sont pas incompatibles dans la pratique; les multiples comparaisons que nous allons établir ci-dessous en sont garantes. Ce qui les démarque les unes des autres, c'est surtout l'importance que chacune accorde à certains aspects de la vie humaine. Les aspects privilégiés dans chaque théorie sont élevés au rang d'éléments explicatifs essentiels et premiers dans la connaissance de l'être humain. À mon sens, leur plus grande contribution à la compréhension de la nature humaine réside dans la complémentarité de leurs explications, et non dans l'antagonisme de leurs prémisses respectives. L'analyse freudienne et le conditionnement béhavioriste se complètent bien plus qu'ils ne rivalisent. L'approche éthologique de Lorenz donne ses lettres de noblesse au pour-soi sartrien. Plus encore me semble fructueux l'étrange mariage possible entre Berkeley et Marx.

Voici quelques cas de notions comparables chez les penseurs dont il est question dans ce volume. Notre présentation sera brève. Notre objectif est de montrer toute la richesse, la difficulté et l'intérêt qu'il y a à «sauter les clôtures» pour visiter impunément les «églises du savoir».

1. La société idéale et son rôle chez Platon et Skinner

Chez Platon, la société devrait être prise en main par les philosophes: ceux-ci visent le bien-être à long terme et un certain détachement des plaisirs matériels et corporels, s'attachant aux joies de la communication et du savoir. L'éducation devrait à cet égard jouer un rôle prédominant. Ce projet consiste, en termes béhavioristes, à instaurer un système de conditionnement à long terme, car les situations présentées aux enfants seront associées à des valeurs sociales reconnues. De même, l'éducation par le conditionnement à long terme, dans la société platonicienne, amène les individus à se détacher des plaisirs fugaces. Pourtant, si les buts convergent, ils ne peuvent se rejoindre. Le conditionnement à long terme n'entraîne pas le dédain des possessions matérielles. L'individu qui se comporte en bon citoyen afin d'amasser une fortune ne nourrit pas son âme, pas plus que la société ne garantit qu'un «bon» citoyen le soit au sens de Platon. Skinner souhaite vivre dans une société qui vise l'intégration de tous et l'autonomie de chacun; rien de plus. Si tous deux voient dans l'harmonie sociale et dans l'éducation attentive la solution aux maux des humains piégés dans leur individualité, l'un veut «sauver nos âmes», l'autre, nous libérer des chaînes de la fatalité génétique. Ces objectifs peuvent aisément s'opposer.

2. L'âme et ses séjours terrestres chez Platon comparés à l'évolution des codes génétiques et des organismes chez Wilson

La théorie de Wilson est aux antipodes de celle de Platon. L'âme profite de différents corps afin d'évoluer ou, du moins, d'utiliser son savoir. Le développement de codes génétiques toujours plus complexes se manifeste sous la forme de la lutte pour la survie. En ce sens, et en ce sens seulement, les idées de Wilson et de Platon se rejoignent: le corps, l'existence individuelle, n'est que le siège d'un processus évolutif *qui a son objectif propre*. Mais là s'arrête l'analogie. Si l'évolution des âmes nécessite l'utilisation d'un véhicule terrestre, elles peuvent toutefois «vivre» sans lui. De plus, cette évolution se fait par entraide, aucun besoin d'une lutte, bien que les conflits d'idées et l'argumentation stimulent l'effort intellectuel. Chez Wilson, si l'altruisme s'avère propice aux échanges, aux expérimentations par combinaisons de codes, c'est la sélection des vainqueurs qui poursuit la poussée évolutive et la complexification des espèces. De plus, si un corps n'est que l'expression de son code génétique, ce dernier n'est rien s'il ne passe pas le test de la survie. Même si tous les codes humains se ressemblent, des variations subsistent, alors que le savoir de l'âme semble universel et commun.

3. Le couple en-soi/pour-soi chez Sartre et le couple âme/corps chez Platon

Le rapport entre en-soi et pour-soi est un rapport de chose à regard, la chose et le regard ne pouvant se voir eux-mêmes à cause de leurs lacunes respectives: le pour-soi étant la conscience d'autre chose qu'elle-même, le corps étant sans conscience. Si le rapport platonicien entre l'âme et le corps est l'expression de l'action d'une entité insaisissable vers une chose à comprendre, il demeure que l'exercice du souvenir est positif et non néantisant pour l'âme. La perception exige des deux partenaires (âme et chose) une contribution, même si seule l'âme en sort grandie. Le pour-soi de Sartre ne gagne rien à s'interroger sur lui-même. Là où les deux conceptions se touchent, c'est dans l'impossibilité pour l'individu de comprendre cet élément non tangible (âme et pour-soi) qui fait de chacun un être humain authentique. Si le corps, selon Platon, est asservi idéalement à l'âme, le pour-soi sartrien devient un parasite pour l'organisme s'il ne se dissout pas dans l'action, laissant la vie être en soi (la leçon de Nietzsche).

4. Les relations humaines et leur caractère exceptionnel chez Berkeley et Sartre

Chez Berkeley, les manifestations corporelles sont des idées involontaires: la rencontre de deux êtres se fait dans deux esprits simultanément. Ceux-ci ne sont en contact avec l'autre qu'en eux-mêmes, isolément, mais le contact peut se rapprocher de la communion d'esprit. Sartre croit qu'au-delà du rapport entre les corps chacun peut viser idéalement le pour-autrui de l'autre mais, à la différence de l'immatérialisme, seul le contact entre deux organismes est réalisable; ce serait l'objectif d'une orgie, par exemple. De plus, le monde concret est le terrain de rencontre de ces deux consciences qui ne sont que les témoins prisonniers de leur corps respectif. Nos deux penseurs s'accordent sur deux points: premièrement, nous sommes seuls au monde, *surtout* en présence des autres. Deuxièmement, les rapports humains ne se retrouvent pas dans d'autres formes de vie. Cependant, leurs explications diffèrent. Pour Sartre, bon cartésien, le «témoin» conscient n'est pas accordé aux animaux. Pour Berkeley, les autres espèces animales n'ont pas la possibilité d'avoir des idées volontaires, ni donc d'imaginer un esprit voisin, encore moins un esprit pensant son existence.

5. Les inégalités sociales selon Rousseau et Lorenz

Pour Rousseau, l'histoire humaine a engendré un état de possession qui suscite des inégalités sociales n'ayant pas nécessairement de liens avec les inégalités naturelles. Ces inégalités sociales devraient être corrigées par un contrat dont nous trouvons le fondement rationnel chez Locke. Pour Lorenz, les inégalités naturelles sont la pierre d'assise des inégalités sociales. L'appropriation des biens chez Rousseau s'accomplit dans les rituels de soumission. Chez les animaux évolués et chez l'être humain, ces rites de soumission ont transformé chacun en perdant et tous en gagnants, diminuant du même coup le désir de dominer. Si Rousseau voit en la domination sociale un défaut, Lorenz juge aberrante l'accentuation des caractéristiques de domination et de sélection sexuelle. Que les théories de ces deux naturalistes se rejoignent si bien ne devrait pas nous étonner.

6. Le rôle du Moi idéal et des figures parentales chez Freud en relation avec l'action des individus dominants dans un groupe chez Lorenz

La culture environnante propose au jeune enfant des comportements adultes avec lesquels le Moi comparera ses solutions. Sur le terrain, les éthologues ont observé que ce sont les individus dominants, souvent les plus âgés, qui apprennent aux plus jeunes les règles de comportement et de soumission, parfois en les imposant. Mais les «tu dois» de Lorenz ne se résument pas dans l'idée d'un Moi idéal. Premièrement, la théorie psychanalytique est plus complexe sur ce sujet, le rôle du Surmoi y joue une part très importante. De plus, l'observation de ce modèle psychanalytique chez l'individu présente de nombreuses difficultés (l'auto-justification est le point faible de la psychanalyse). Finalement, en psychanalyse, le rapport du Soi à un modèle contraignant est subjectif et relève d'un débat à l'intérieur du Moi. Ce débat a lieu hors du champ d'observation des éthologues, tout comme ce débat chez un animal échappe à la cure psychanalytique.

7. Les rôles respectifs du rêve chez Freud et de l'idéologie chez Marx

Le rêve est la communication d'une tension inconsciente adressée au conscient par «voie diplomatique», le contenu réel étant reformulé en termes acceptables pour le destinataire. Son but n'est pas informatif, mais libérateur d'une tension affective, du moins nerveuse au sens strict. Sans rêve, l'équilibre nerveux se détériore. Par analogie, l'idéologie est nécessaire au travailleur. Sans cette vision de soi et de son rôle, sa motivation chute et, à long terme, il démissionne ou son rendement devient médiocre. Ici le message n'est pas maquillé, mais inversé. Le rêve parle de ce que la conscience ne veut pas entendre, alors que l'idéologie est le miroir où je reconnais mon image ou mon maître. Dans les deux cas, la situation concrète ne peut être acceptée telle quelle. La distinction majeure entre les deux concepts vient de ce que le message crypté du rêve provient de l'individu et concerne des tensions; l'idéologie provient du milieu et peut être modifiée. On peut travailler à remplacer une idéologie par une autre, sans avoir à réorganiser le travail. Dans la seconde moitié du XXe siècle, l'ouvrier qui travaillait sur une chaîne de montage à Moscou ne partageait pas l'idéologie de son équivalent à Detroit, mais exerçait le même métier. Plusieurs productions oniriques peuvent parler à une conscience à demi éveillée, mais elles se substitueront les unes aux autres dans un effort de libération similaire, jamais compétitif.

8. Les notions de Surmoi et de Moi idéal chez Freud et le concept de pour-autrui chez Sartre (ainsi qu'une remarque au sujet de la conscience)

Il existe chez Sartre deux visions du pour-autrui. La première, celle dans laquelle l'individu assume son attitude, s'apparente à la notion de Moi idéal en psychanalyse. Si le Moi idéal peut être entrevu grâce à l'analyse, il demeure que sa formation et son influence résultent d'un travail de l'inconscient, et non de la conscience. Si le pour-autrui se manifeste couramment sans que nous en prenions conscience, surtout sur la place publique, il demeure qu'il peut être assujetti à une volonté de paraître qui relèverait quasi exclusivement du Moi. Leur similitude porte sur deux points. D'abord, leur capacité de sélectionner des comportements qui séduisent. Ensuite, dans la force d'inhibition et de mésestime occasionnée par un sentiment de honte ou de culpabilité. Dans les deux cas, le jugement peut provenir d'autrui ou de l'introjection de ce regard par l'individu.

La seconde approche du pour-autrui résulte de l'action dévastatrice du jugement des autres sur mon être-chose, que résume l'expression «l'enfer c'est les autres». Comme le Surmoi, le pour-autrui investit alors la conscience d'un puissant sentiment de malaise. Mais la source de ce sentiment provient de l'inconscient, dans le cas du Surmoi, et demeure un puissant agent de contrôle de la conscience. Dans le cas du pour-autrui, l'individu a la possibilité de modifier son comportement. En revanche, il est infiniment plus ardu de modifier son Moi idéal afin d'échapper à cette culpabilité dont le Surmoi investit l'individu.

Le pour-soi ou la conscience sartrienne est une présence au monde, la conscience d'un univers qu'elle organise, tout comme chez Freud, car le monde ne saurait exister sans être orienté autour du Moi. Mais cette conscience n'existe pas comme objet chez Sartre, car elle est sans contenu: *le pour-soi, c'est l'en-soi se perdant comme en-soi pour se fonder comme conscience.* Cette conscience est essentiellement dynamique, comme chez Freud, mais elle n'a pas d'espace où loger un Moi qui s'opposerait au Ça, sinon elle deviendrait un objet possible.

9. «L'humain est la somme de ses comportements» selon Skinner et Sartre. Jusqu'à quel point s'entendent-ils à ce sujet?

Au sens béhavioriste, cela signifie qu'un être n'est saisissable que par les comportements qu'il manifeste, et qu'une intervention éducative ou adaptative ne se jauge qu'au changement de fréquence de ces comportements. Chez Sartre, cette sentence exclut tout recours aux «si» qui justifieraient mes échecs ou me disculperaient des conséquences de mes actions. Sous l'apparente similitude se cache un désaccord profond. Pour Skinner, les comportements en question sont acquis dans notre milieu et sont contestés par notre entourage. L'origine des comportements déviants est environnementale et elle échappe à la responsabilité individuelle. Chez Sartre, les comportements sont une réponse au regard des autres qui prend sa source en moi, et c'est la mauvaise foi individuelle qui est dénoncée dans la fuite vers l'irresponsabilité.

10. Le rapport instinct / rituel chez Lorenz et le rapport instinct / raison chez Nietzsche

Le rituel est un dispositif éducatif, assimilé par imitation, qui bloque certains comportements naturels afin d'intégrer l'individu dans le groupe. Vainqueur ou perdant, il «prend sa place»: il s'intègre dans une structure hiérarchique. Chez Nietzsche, les «raisons» font de même, autant dans les fins que dans les moyens. L'individu qui entre dans le troupeau est cassé, en manque d'originalité et de créativité. Même les individus dominants, les gagnants, se plient aux «tu dois»; il suffit de penser aux marionnettes politiques. Sous cette surface conciliante se cache un différend profond. Chez Lorenz, cette acceptation des règles sociales est non seulement obligatoire, mais positive. Le jeu de dominance observé chez les animaux exclut la dimension surhumaine. L'équivalent improbable de cette volonté de puissance serait l'individu créant un nouveau rituel, mieux adapté à ses fins et à celle de ses pairs. Mais là encore, cela ne concerne en rien le surhumain; il s'agit d'un exercice de domination de l'autre. À l'inverse, l'importance grandissante de la collectivité et ses impacts sur la marginalité ne peuvent être pensés positivement dans la philosophie de Nietzsche.

11. La course technologique pour rendre notre mode de production concurrentiel chez Marx comparée à la course aux armes et aux améliorations génétiques chez Lorenz

Toutes deux engagent une lutte, territoriale, économique chez Marx, politique chez Lorenz. Dans les deux cas, cette lutte s'est d'abord développée entre individus, puis entre groupes, et entraîne la disparition éventuelle du perdant. Chez Lorenz, ce développement est le prolongement d'une «évolution» génétique; chez Marx, elle résulte d'une évolution historique, typiquement humaine. En prenant comme point d'arrivée chez Lorenz, d'une part le transfert de l'agressivité territoriale en force de travail et de coopération, d'autre part le transfert des gestes arrêtés en gestes de communication et la métamorphose des armes en outils, on obtient le point de départ de l'histoire humaine au sens de Marx.

12. La dualité objectivation / aliénation chez Marx et la dualité surhumain / petit homme chez Nietzsche

L'objectivation est la capacité naturelle d'un être à forger l'entourage à son image, moulant les formes des objets selon son art, sa créativité, ses connaissances et ses besoins. En ce sens, le travail est le lieu privilégié de la manifestation de la volonté de puissance. Dans le travail à la chaîne, cette objectivation est absente, et la répétition de gestes prévus à l'avance crée certainement les conditions de vie des petits êtres qui n'ont aucun intérêt à se réaliser dans leur travail, pas plus qu'ils n'aient quelque motivation à le prendre en charge. L'idéologie du prolétaire est celle du troupeau. Il se soumet à son patron et se valorise dans ses habitudes fétichistes de consommation. Chez Marx, ce mouvement aliénant est une condition quasi nécessaire à l'évolution. Tout artisan qui accélère son travail par l'habitude ou par l'introduction d'un outillage lui facilitant la tâche, s'insère dans un processus menant à une certaine aliénation. L'usage d'une monnaie d'échange, ce produit aliéné par excellence, accélère le processus d'aliénation du travail. Rien de tel chez Nietzsche pour qui il semble que la course vers le confort l'ait simplement emporté sur le jeu des passions.

II - Les points chauds

En fin de parcours, il serait intéressant de souligner les points de fragilité que comportent la plupart des théories présentées ici, quant à la nature de l'être humain.

1. La foi religieuse

Les croyances religieuses ont un impact majeur sur les êtres humains. Les conceptions que nous avons survolées tendent presque toutes à discréditer les religions. Freud voyait dans les dieux des figures paternelles; Marx et Nietzsche considèrent la religion comme un puissant discours idéologique; Sartre y voit une occasion de mauvaise foi. Même Platon se démarque du discours religieux avec sa notion d'âme rationnelle. On peut substituer au Dieu de Berkeley un méta-esprit areligieux. Bref, les conceptions de l'être humain semblent se détourner de tout *sentiment* religieux, préférant contourner l'acte de foi plutôt que de le comprendre. Il demeure que les religions veulent répondre à une angoisse inhérente à l'existence humaine, peut-être à la vie dans sa globalité: pourquoi mourir? Où cette succession de générations mène-t-elle? Les discours philosophiques, psychologiques et scientifiques ne peuvent décider si cette angoisse est vaine. Pire, ils s'avouent aisément hors propos quand nous les questionnons sur cet effort de la conscience à comprendre nos limitations temporelles. En ce sens, et en ce sens seulement, le discours religieux échappe à toute conception areligieuse. D'autre part, nous pourrions affirmer que les théories théologiques ou métaphysiques de la vie humaine sont indépendantes des réflexions philosophiques et scientifiques, du moins telle que ces dernières se sont instituées depuis l'avènement de la modernité. Si la philosophie n'est plus assujettie à la théologie, *l'ordre ne s'est pas inversé pour autant.* Le divorce est peut être plus achevé que chacun ne voudrait l'admettre.

2. Le problème de l'esprit

Jusqu'à quel point les actions et les pensées humaines peuvent-elles être théorisées? Certains croient que l'esprit est immatériel, qu'il ne peut se comprendre par la simple observation des phénomènes perceptibles. Ainsi, Platon et Berkeley (et même Sartre) comprennent l'existence humaine à partir d'une entité non observable. D'autres, comme Nietzsche, incluent dans leur conception un esprit humain doté d'une dimension irrationnelle qui ne peut être piégée et correctement décrite par le discours rationnel. On oublie aisément que cette incapacité fondamentale est à la base de l'approche de Freud ou de Jung. Même une théorie matérialiste doit tenir compte de la *vision* subjective individuelle. L'explication épiphénoménale où nous conduit la neurologie est plus une nécessité explicative qu'une évidence déductive: on ne retrouve pas la synthèse sensorielle où puisent nos raisonnements *dans* la structure électrique du cerveau.

3. La théorie évolutionniste

Nous sommes issus d'une évolution animale naturelle. La masse impressionnante de faits appuyant cette hypothèse la rend incontournable. La théorie mise de l'avant par Darwin et ses successeurs n'a pas de compétiteur sérieux sur ce point précis. Toute théorie de l'être humain doit non seulement considérer cette donnée, mais admettre que le darwinisme puisse expliquer certains aspects essentiels à la nature humaine, que l'esprit soit matériel ou non. Et même si l'être humain s'avérait être plus qu'un animal, il demeure qu'il en est un. Nous pensons en particulier à la découverte du code génétique.

4. Les limites de l'objectivité scientifique

Un problème majeur dans l'étude de l'être humain est que la méthode scientifique, surtout le test de laboratoire, ne s'applique pas simplement à l'objet humain (quoi qu'en pensent les béhavioristes, par exemple). Les sociologues sont particulièrement éclairants sur ce sujet. Nos théories sont teintées d'idéologie, de préjugés. Ainsi, aux États-Unis, toute théorie qui justifierait l'existence de différences entre hommes et femmes, ou entre groupements raciaux, serait attaquée dès sa sortie par des intérêts de groupe. Ceux qui l'auraient produite véhiculeraient eux aussi des motivations de groupe. Y a-t-il un «principe d'indétermination» applicable à la connaissance des êtres humains et qui serait comparable à celui qui limite les possibilités d'observation des physiciens?

5. La dimension existentielle

Les philosophies existentialistes insistent sur le caractère authentiquement humain de notre existence. Leurs réflexions s'opposent aux théories scientifiques qui font perdre toute individualité à l'être humain en le transformant en objet. Les existentialistes veulent que nos rapports avec nos semblables soient authentiques, et s'opposent souvent à la pratique matérialiste de notre époque. Ces philosophies prônent trois principes fondamentaux: faire passer l'individu avant la collectivité, penser le sens des actes plutôt que les expliquer, poser la liberté de choisir comme trait fondamental de l'être humain. Cette vision éjecte l'être humain des mondes religieux et scientifique.

6. Une capacité à évoluer ou à se transformer

L'opposition est radicale entre l'inné et l'acquis, entre l'hérédité et l'environnement, entre la nature et la culture. Platon, Marx, Freud, Lorenz et Skinner soulignent l'importance du contexte social, des possibilités de changer l'individu grâce à des structures sociales adéquates. Nietzsche et Sartre iront jusqu'à prétendre que se changer soi-même fait notre essence. Il n'est pas assuré qu'on puisse codifier le potentiel de réalisation dont l'être humain dispose pour devenir quelque chose d'autre. Des penseurs comme Wilson, et en partie Lorenz, pensent que cette tâche peut être accomplie, mais que ce potentiel est limité.

7. Les sociétés humaines

Presque toutes les conceptions de l'être humain pointent dans la même direction: l'importance d'une structure sociale éducative. Il semble que l'être humain soit fondamentalement un être social, que ce soit en réalisant le tissu social, en élaborant son évolution ou en subissant sa pression. La plupart des auteurs voient dans le contexte social la cause première des problèmes inhérents à l'être humain, ou encore la seule solution acceptable à ses maux. Les conceptions individualistes devraient donc rendre compte de la nature sociale de l'être humain.

Glossaire

absence présente. Chez Platon, la reconnaissance d'une Idée pure dans l'organisation d'une perception (voir *réminiscence*). Chez Sartre, action positive de l'absence de quelque chose, par exemple le fait de n'être pas médecin, pour un étudiant en médecine.

abstraction. Objet de l'esprit obtenu par élimination des éléments non essentiels à un objet, un phénomène ou une idée. Par exemple la notion de *chose* est l'abstraction ultime de tout objet (voir *idée abstraite* et *Idée pure*).

absurde. Chez Camus, se dit de l'univers et de l'être humain, qui n'ont aucune raison d'exister, aucune justification à leur présence. Se dit aussi de toute tâche entreprise si elle est vouée à l'échec, en particulier le combat du vivant contre la mort.

Adler, Alfred. Psychologue et médecin autrichien, né en 1870, mort en 1937. Il s'oppose à Freud en proposant une version de la psychanalyse fondée sur le sentiment d'infériorité et le désir de pouvoir.

aliénation. Chez Marx, état d'un travailleur ne s'exprimant pas dans son travail, le plus souvent parce que sa tâche est répétitive. L'organisa-

---

Les termes en italiques dans le texte de la définition sont eux-mêmes des entrées du glossaire.

tion industrielle du travail instaure la chaîne de production afin de produire en série, rendant ainsi aliénant le travail de l'ouvrier.

âme (du latin *anima*). Chez Platon, principe vivant, mais invisible, immortel et sans composante matérielle, qui contient les *Idées pures*.

analyse existentielle. Examen philosophique des conditions de vie afin d'en tirer des connaissances. En particulier, sur notre savoir inné (Platon), notre statut existentiel (Berkeley), notre condition sociale (Marx) ou le sens de la vie humaine (Platon, Sartre).

angoisse. Chez Sartre, peur irrationnelle et sans objet produite par la prise de conscience que le succès de nos projets dépend essentiellement de notre vouloir et est sous notre entière responsabilité. Avoir le trac avant de paraître en public est une forme commune d'angoisse.

animisme. Voir *conception animiste.*

anthropologie philosophique. Partie de la philosophie qui explique l'être humain.

Antiquité. Voir *périodes historiques.*

arc réflexe. Parcours de l'influx nerveux, d'une entrée sensorielle vers un muscle, créant une contraction musculaire.

Apollon. Dieu grec de la beauté, des arts et de la divination.

Berkeley, George. Évêque et philosophe irlandais, né en 1685, mort en 1753. Il prône que toute connaissance repose sur la *sensation* et qu'il n'existe que des esprits, pas de matière inerte.

blessure psychique. Conséquence d'une expérience traumatisante, surtout dans l'enfance. Toute expérience de vie ultérieure rappelant cette expérience réveillerait cette blessure. Par analogie, une cicatrice musculaire gênerait l'individu à chaque mouvement mettant en jeu le muscle blessé.

Boèce. Philosophe et poète latin, né vers 480, mort en 524.

boîte noire. En intelligence artificielle, mécanisme scellé dont on ne peut déduire la constitution que de l'effet de ses actions.

Ça. Chez Freud, une des trois parties du psychisme. Le *Ça* est inconscient; il est constitué de pulsions et de la mémoire des situations de plaisir.

calcul génétique. Chez Wilson, calcul involontaire et égoïste où l'individu aide les autres en fonction du degré de parenté ou du potentiel reproducteur avantageux pour son code génétique.

calcul sociobiologique. Voir *calcul génétique.*

Camus, Albert. Écrivain français, né en 1913, mort en 1960. Ses romans, essais et pièces de théâtre mettent en évidence le caractère *absurde* de l'existence humaine.

camusien. Dans l'esprit de la pensée de Camus.

Castaneda, Carlos. Anthropologue étatsunien, né en 1931, mort en 1998. Étudiant à l'Université de Californie, il s'intéresse à la structure de pensée d'un sorcier yaqui, nommé Don Juan, qui devint son maître.

céleste. Voir *monde céleste.*

chromosome. Chaque chromosome est constitué d'un filament d'acide désoxyribonucléique, l'ADN, formant une double bande en hélice composée de quatre bases azotées, notées A, C, G et T, groupées deux par deux (T et A, G et C) et tenant soudées les deux bandes.

chose. Tout objet, dépouillé par *abstraction* de toute qualité ou caractéristique, réduit à son existence comme corps occupant un espace, un temps ou une pensée.

ciel. Voir *monde céleste.*

Claude Ptolémée. Astronome, mathématicien et géographe, né vers 100, mort vers 170. Il conçoit un système de mouvements circulaires des astres autour de la Terre, élément fixe au centre de l'univers.

complexe affectif. Ensemble lié de relations entre certaines perceptions présentes et certaines expériences passées, qui individualise les êtres humains en termes de préférences, d'attentions, de *désirs* et de réactions.

complexe d'Œdipe (Voir *Œdipe*). Se dit du *complexe affectif* qui forme l'image de soi par comparaison et confrontation au père (ou à la mère) pour l'affection de sa mère (ou de son père). Une personne n'ayant pu dépasser sainement ce complexe pourrait, par exemple, rester sous la dépendance affective d'un de ses parents.

concept abstrait. Voir *idée abstraite.*

conception animiste. Toute conception qui attribue une âme aux animaux, aux végétaux et même, dans l'animisme primitif, aux objets ou phénomènes naturels.

conditionnement opérant. Chez l'animal et l'être humain, programmation qui modifie la fréquence d'apparition d'un comportement.

conscience. Chez Freud, un des deux états du psychisme, constitué essentiellement par le *Moi*, qui équivaut à un état d'éveil attentif. Chez Sartre, elle est cette capacité humaine d'être un regard sur le monde, un regard insaisissable comme objet.

conscience existentielle. Faculté qui permet d'être présent à sa vie, présence dont nous manquons étant très jeune, et qui permet notamment de se savoir mortel.

conscience morale. Faculté qui permet de juger une action en bien ou en mal, indépendamment de sa faisabilité. Chez Freud, elle correspond au *Surmoi*, dont le jugement se manifeste au *Moi* sous forme d'un sentiment (de culpabilité).

contrat social. Chez Locke, entente adoptée librement et respectée par tous, qui prévoit la nomination de législateurs ayant le pouvoir de rédiger et de faire respecter des lois assurant le droit à la *propriété privée*, ainsi que les sanctions prévues en cas d'infraction à ces lois.

condition terrestre. Condition de ce qui existe dans le *monde terrestre.*

Darwin, Charles. Naturaliste et biologiste britannique, né en 1809, mort en 1882. À partir de l'étude de la grande variabilité des espèces animales et végétales, il propose une *théorie de l'évolution* par *sélection* des sujets les mieux adaptés, théorie qui inclut l'être humain parmi les animaux.

dernier homme. Chez Nietzsche, le chercheur contemporain qui sacrifie sa vie personnelle à la recherche de la vérité objective de la science. Il est devenu l'ultime esclave de la raison car, comme chercheur, il est tout autre que l'individu qui vit hors de sa recherche.

Descartes, René. Philosophe, mathématicien, militaire et physicien français, né en 1596, mort en 1650. Fondateur de la géométrie analytique, il étudie le phénomène de la réfraction de la lumière. Il conçoit en précurseur la physique et la biologie mécanistes. Il est le premier philosophe à publier un écrit en français. Il est considéré comme le premier penseur de la *modernité*.

désir. Chez Freud, le désir de quelque chose se concrétise quand une *pulsion* se fixe sur des objets précis afin de procurer un plaisir. Ce faisant, l'individu manifeste alors des préférences sexuelles et ludiques. Chez Sartre, le désir vise la découverte de la présence de l'autre comme volonté de séduire à l'aide de son corps.

Dionysos (Bacchus). Dieu grec (et latin) de la végétation, de la vigne et du vin.

dragon. Animal fabuleux qui, pour les Chinois, représente celui qui effraie sans pouvoir donner suite à ses menaces.

droit de raison. Liberté octroyée à quiconque en vertu d'un article de loi. Un code de lois étant le produit d'une activité rationnelle (voir *rationalité*), les droits octroyés par le code sont appelés «droits de raison».

en-soi. Chez Sartre, la dimension objet de l'être humain: son corps, sa situation, son passé et sa fin inéluctable.

épiphénomène. Statut du phénomène de conscience, considéré comme manifestation secondaire de l'activité nerveuse et n'étant donc ressenti que par chaque individu personnellement.

espace (non) euclidien. Dans un espace euclidien, deux droites parallèles ne se rencontrent jamais. Dans le cas contraire, on parle d'un espace non euclidien.

esprit. Entité immatérielle. Chez Berkeley, les esprits sont les seuls éléments qui existent. Ils se composent de perceptions (*idées concrètes* et involontaires) et de concepts (*idées abstraites*, souvent volontaires). Chaque être humain est un esprit. Dieu est un esprit illimité, car il comporte en lui, comme idées, d'autres esprits, limités eux.

éthologie. (du grec *ethos*, mœurs) Science des comportements animaux.

état de nature. État dans lequel vivent les humains quand ils n'ont pas encore adopté de *contrat social.*

être social. Existence d'un individu en tant qu'élément d'un rouage social. L'avocat ou le médecin sont des êtres sociaux, dont l'existence est définie indépendamment des individus qui pratiquent ces professions.

être-en-soi. Voir *en-soi.*

être-pour-autrui. Voir *pour-autrui.*

être-pour-soi. Voir *pour-soi.*

euclidien. Voir *espace euclidien.*

existentialiste. Penseur qui fonde sa philosophie ou sa pratique de vie sur la conscience d'exister. Elle s'appuie sur l'analyse ou l'attention portée à ce qui est essentiel dans la condition humaine.

fétichisme de la marchandise. Chez Marx, phénomène psychologique présent dans les sociétés marchandes, selon lequel les individus croient que les marchandises possèdent une valeur monétaire intrinsèque, alors que cette valeur vient du temps de travail humain qui fut investi afin de produire ces marchandises.

force de travail. Capacité d'un être humain libre et en bonne santé de modifier l'état de la nature.

Freud, Sigmund. Médecin autrichien, né en 1856, mort en 1939, fondateur de la *psychanalyse.* Il met en évidence le fait que divers troubles de comportement étaient dus à des traumatismes subis dans l'enfance. Il s'agit principalement de désirs sexuels inavouables, ou d'une image négative de soi à la suite de l'échec de la confrontation avec le père ou la mère. Ces événements sont contenus dans l'*inconscient* et seraient libérés principalement dans les rêves.

forme terrestre. Voir *occurrence.*

forme pure. Voir *Idée pure.*

gène. Portion isolée de la suite des bases azotées de l'ADN qui permet la composition d'une substance, une protéine ou un acide aminé, par exemple.

geste arrêté. Geste d'agression dont l'exécution est écourtée, ou la cible, systématiquement ratée. Chez l'être humain, ces gestes arrêtés sont couramment devenus des gestes de communication, tels saluer ou frapper du poing sur la table.

guerre du Viêt-nam. Conflit qui opposa de 1954 à 1975 le Sud au Nord. Le conflit se radicalise dès 1962 avec le soutien de la Chine et de l'URSS, du côté nord, et l'appui des États-Unis, du côté sud, puis avec l'arrivée de l'armée étatsunienne.

hétérozygote. Dont les gènes homologues sont différents.

homozygote. Dont les cellules possèdent en double le gène d'un caractère donné.

humaniste. Qui met l'accent sur l'être humain, les valeurs humaines, la condition humaine. Les philosophes *existentialistes* sont généralement des humanistes.

idée abstraite. Chez Berkeley, toute idée concrète, dépouillée par abstraction de certaines de ses caractéristiques sensorielles et ramenée à une forme générale. Par exemple, une branche de chêne est une *occurrence* de morceau de bois. Chez Platon, certaines idées abstraites, comme les figures géométriques, et certains concepts, comme l'égalité, constituent des *Idées pures* de l'âme.

idée concrète. Chez Berkeley, ensemble des sensations et des perceptions. Plus l'analyse et la réflexion travaillent ces données premières, plus les idées que ce travail produit deviennent des *idées générales* ou abstraites. Ainsi, la tasse de café que je tiens est un *objet concret*, soit un ensemble d'*idées concrètes:* forme, couleur, saveur, poids, texture, chaleur, etc. Mais à partir de cette tasse-ci, je peux m'imaginer la description généralisée d'une tasse: contenant muni d'une anse qui tient dans une main (*objet abstrait*, plus général).

idée générale. Voir *idée concrète* et *idée abstraite.*

idée (in)volontaire. Chez Berkeley, une pensée que l'on conçoit librement, qui n'est pas imposée par une source sensorielle est une *pensée volontaire.* Une pensée qui occupe notre esprit sans que nous ayons à l'élaborer est involontaire. Nos sensations, ces idées concrètes, sont des *idées involontaires.* Trouver beau quelqu'un est une idée involontaire, mais chercher à comprendre pourquoi nous trouvons belle cette personne est une idée volontaire.

idée perçue. Voir *idée concrète.*

Idée pure. Chez Platon, une Idée pure est un concept qui ne peut être obtenu par simple abstraction des objets perçus (voir *idées abstraites*), mais est une composante céleste, contenue dans l'âme humaine, qui organise la perception. Ainsi, le concept d'égalité s'applique à diverses situations économiques ou légales, mais ne peut être abstrait, par exemple, d'un ensemble de situations où s'applique cette égalité: objets de même poids, de même prix. Deux objets peuvent être jugés de même poids ou de même prix parce que l'âme possède cette *Idée pure*: l'égalité. Quand nous disons de ces deux objets qu'ils sont égaux en poids ou en prix, cette égalité n'est pas dans les objets, mais dans le jugement de celui qui reconnaît cette égalité de poids ou de prix.

idéologie. Une manière de juger notre situation dans le *mode de production* afin de l'accepter, y compris les injustices et les inégalités qu'elle comporte.

idéologue. Individu qui prêche les valeurs morales et politiques essentielles à la survie du système social qu'il soutient.

immatériel, le. Sans consistance corporelle. Selon Berkeley, qui ne dépend pas d'une *matière inerte*.

immatérialisme. Nom donné à la position philosophique de *Berkeley* qui rejette l'hypothèse que nos perceptions soient causées par une *matière inerte* indépendante de nous.

incarnation (du latin *in carne*, mise en chair). Dans la *conception animiste*, état d'une âme lors de son séjour terrestre, durant lequel elle anime un corps. Se dit aussi du moment où l'âme prend possession d'un corps.

inconscient. Chez Freud, un des deux états du psychique, constitué par le *Ça*, le *Surmoi* et les expériences refoulées.

inertie de masse. Principe établi par Newton qui explique que tout objet conserve son mouvement ou reste au repos s'il n'est pas soumis à l'action d'une force (mécanique, chimique, atomique ou thermique).

intériorisation. Action par laquelle un individu s'identifie à des règles extérieures à lui. Par exemple, se sentir responsable de l'échec de quelqu'un d'autre, ou encore avoir l'impression que l'obligation de ne pas mentir provient d'un sentiment intime.

introspection (regarder à l'intérieur). Observation et description méthodique par un individu du fonctionnement de sa conscience ou de sa vie intime.

Jung, Carl Gustav. Psychiatre suisse, né en 1875, mort en 1961. Proche disciple de Freud, il se distancie de son maître en réduisant l'importance de la sexualité. Il élabore les notions d'*inconscient collectif* et de *types* psychologiques.

Kafka, Franz. Écrivain tchèque, né en 1883, mort en 1924. Ses œuvres soulignent l'absurdité de la vie et l'inhumanité du système bureaucratique.

Kant, Immanuel. Philosophe allemand, né en 1724, mort en 1804, qui pose que toute connaissance universelle doit se conformer à la nature du sujet qui la pense.

karma. Selon les religions indiennes, ensemble de contraintes pesant sur ma vie actuelle et découlant des actions accomplies dans mes vies antérieures.

Kierkegaard, Sören. Philosophe et théologien danois, né en 1813, mort en 1855, qui défend le christianisme et fait de l'angoisse l'expression du caractère inexplicable de la condition humaine.

Krisnamurti. Maître spirituel indien, né en 1895, mort en 1986. Mis en vedette à un très jeune âge par la *Société théosophique*, il entreprend en 1929 une démarche philosophique autonome fondée sur l'instant présent et le refus de tout maître spirituel.

limitation terrestre. Chez Platon, incapacité de tout objet matériel, en tant qu'*occurrence*, à illustrer la richesse d'un concept ou d'une *Idée pure*. Aussi la difficulté de l'âme dans sa condition terrestre à comprendre les *Idées pures*.

Locke, John. Philosophe anglais, né en 1632, mort en 1704. Comme *Berkeley*, il place la source de toutes nos idées dans les sens, et il est un des premiers penseurs et défenseurs de la démocratie.

logique. Présentation des règles qui régissent nos raisonnements et nos déductions, abstraction faite du sujet étudié et de la psychologie de l'individu.

Lorenz, Konrad. Éthologiste et zoologiste autrichien, né en 1903, mort en 1989. Il étudie le phénomène de l'empreinte: la fixation irréversible du nouveau-né au premier objet «mère» qu'il perçoit, ainsi que le rôle du concept d'agression dans la théorie de Darwin.

matérialiser. Produire la représentation concrète d'un concept ou d'une *idée* (voir *occurrence*).

matière. Constituant de base de l'univers et de la vie, indépendamment des impressions sensorielles qu'il provoque en nous. Selon la physique, cette matière serait sans vie et essentiellement de l'énergie ou une activité ondulatoire.

Marx, Karl. Philosophe et économiste allemand, né en 1818, mort en 1883. Il analyse la structure sociale du capitalisme ainsi que l'évolution historique (la lutte des classes) qui l'a engendré. Il prophétise l'avènement du communisme et en expliqua les bases essentielles.

masochiste. Chez Sartre, attitude de celui qui accepte d'être un objet sous le regard de l'autre (voir *sadique*), que ce soit par amour, par amitié ou par dévotion.

mauvaise foi. Chez Sartre, attitude que prend l'individu, afin d'être déchargé de la responsabilité de ses actions.

méthode expérimentale. Manière de découvrir les lois du fonctionnement de la nature, de la vie ou de la pensée, ou encore les causes de l'apparition de phénomènes précis, basée sur une reproduction renouvelable de ce fonctionnement faite en milieu contrôlé (laboratoire).

mode de production. Organisation globale du travail dans une société, déterminant qui a le droit de posséder les conditions de travail et d'engager des travailleurs salariés. Par exemple, dans le mode de production seigneurial, le seigneur possède les terres sur lesquelles vont travailler les serfs qui lui donneront en compensation des journées de travail ou une partie de leurs récoltes.

modèle mythique. Analogie faite entre la situation humaine et les éléments d'un mythe afin d'expliquer, et surtout de justifier cette situation humaine. Ainsi, les infidélités de Zeus (Jupiter) et les colères d'Héra (Junon), sa femme, illustrent les conflits de couple causés par l'adultère répété du mâle (voir le mythe d'*Œdipe*).

modernité. Voir *périodes historiques*.

Moi. Partie consciente du *psychisme* qui négocie avec l'entourage afin de satisfaire les pulsions du *Ça* sous le jugement moralisateur du *Surmoi*. Chez Nietzsche, partie de l'individu qui s'attache à des objets, les désire et en dépend (voir *Soi*).

Moi idéal. Modèle de comportement, le plus souvent provenant de source parentale, inconscient, intériorisé par l'individu comme élément du *Surmoi*. L'idéal du *Moi* pourrait être une projection plus ou moins consciente produite par le Moi.

monde céleste. Monde des dieux. Chez les Grecs, surtout avec *Claude Ptolémée*, la voûte céleste incluant la Lune, le Soleil et les cinq planètes. Ce monde serait constitué uniquement de lumières (sauf la Lune qui serait mi-matérielle, mi-lumière), un monde immuable et en mouvement perpétuel. Plus abstrait est le monde céleste de Platon où logent les *Idées pures* que peuvent contempler les âmes s'échappant du corps. Ce monde céleste ressemble à l'univers des concepts logiques et mathématiques qui s'articulent dans l'esprit sans nécessiter un support matériel.

monde terrestre. Par opposition au *monde céleste*. Pour l'Antiquité, il comprend la Terre et l'air qui l'entoure. Il est constitué d'une matière inerte *corruptible* et est sans lumière.

Moyen Âge. Voir *périodes historiques*.

naturaliste. Se dit d'un penseur ou d'une théorie qui prétend tirer leçon exclusivement des comportements que l'on peut observer dans la nature.

néophilie. Néologisme (nouveau terme) créé par Konrad Lorenz pour expliquer la passion des consommateurs actuels pour la nouveauté.

neuropsychologie. Étude des corrélations entre les structures nerveuses et les aptitudes psychologiques.

Newton, Isaac. Physicien, mathématicien et astronome anglais, né en 1642, mort en 1727. Père de la physique moderne, il produisit une théorie corpusculaire de la lumière, et sa *théorie gravitationnelle* élucida le problème du mouvement des corps célestes. Il partage avec Leibniz la formulation du calcul différentiel.

Nietzsche, Friedrich. Philosophe allemand, né en 1844, mort en 1900. Il critique certaines valeurs occidentales comme la raison, le savoir et la foi, en soulignant l'importance et la beauté des passions libérées dans le vouloir-vivre.

notion abstraite. Voir *concept abstrait.*

objet en soi. Chez Kant, la matière, comme tout ou partie, indépendamment d'abord de sa représentation sensorielle dans l'espace-temps, mais aussi des représentations rationnelles déduites à son sujet. Pour Kant, l'objet en soi est insaisissable par un sujet connaissant qui doit forcément l'interpréter dans son système de pensées ou de perceptions.

objectivation. Chez Marx, principe par lequel un travailleur crée un produit à l'image de ses capacités, de son individualité et de sa culture. Dans les productions artistiques, l'objectivation du créateur prime sur l'utilité du produit. Ainsi peut-on analyser un écrivain par ses écrits.

objectivité. Attitude de l'esprit qui juge, conçoit ou perçoit sans faire intervenir des émotions, des intérêts ou des préjugés culturels. Bref, indépendamment de la personnalité du sujet et uniquement par l'analyse de l'objet. Le savoir abstrait semble ne se former vraiment efficacement que par une attitude objective. Les champs de science se veulent le plus objectif possible.

occurrence. (du latin *occurrere,* se présenter) Nous usons de ce terme pour désigner tout objet ou phénomène qui illustre un concept ou une Idée pure, qui en est une *représentation concrète.*

Œdipe. Héros légendaire de la ville grecque de Thèbes qui fuit sa famille, ignorant qu'elle est sa famille adoptive, à la suite d'une prophétie lui révélant qu'il tuera son père. Sur la route, il tue effectivement un homme, le roi de Thèbes, puis épouse sa veuve. Il apprend plus tard qu'il a été adopté et que son épouse est en réalité sa mère. Cette légende illustre donc les pulsions en jeu dans le rapport de l'enfant mâle à ses parents : inceste et parricide.

ordre social. Vie en groupe réglementée par un *contrat social.*

Pavlov, Ivan Petrovitch. Physiologiste russe, né en 1849, mort en 1936. Il expliqua le mécanisme du *réflexe conditionné.*

pensée concrète. Voir *idée concrète.*

périodes historiques. L'histoire occidentale est divisée en trois grandes phases. D'abord, l'**Antiquité** gréco-romaine qui s'étend surtout de –1900 à 600, soit de l'essor crétois (île de Crète) et chypriote (île de Chypre, peut-être dès –1700) à la chute de la civilisation romaine occidentale. Le **Moyen Âge** s'étend du VIIIe aux XIVe et XVe siècles selon les régions. Il débute avec l'essor de l'empire des Francs et la mise en place des institutions chrétiennes, et s'achève avec la grande peste, la guerre de Cent Ans et la découverte de l'Amérique. La **Modernité** débute avec la **Renaissance** italienne (conséquence de la migration de l'élite de l'empire de Byzance en décadence) aux XIVe et XVe siècles, avec un intérêt marqué pour les penseurs de l'Antiquité et le déclin du pouvoir moral de Rome sur l'Europe.

penseurs du XVIIIe siècle (Diderot, Voltaire, Rousseau, d'Alembert, entre autres, en France). Dit «siècle des Lumières», cette période regorge de penseurs en révolte contre le pouvoir religieux et la monarchie absolue. On prône la démocratisation du savoir par la science et l'accumulation progressive du savoir, notamment par la publication de l'*Encyclopédie*.

perception. Chez Platon, union d'une sensation corporelle et d'une Idée pure de l'âme. La vue d'une ligne courbe fermée associée à l'idée de cercle produit la perception d'un cercle. Plus généralement, un ensemble de sensations liées devient pour la conscience la perception d'un *phénomène.*

perfectibilité. Chez Rousseau, libre capacité humaine à évoluer vers l'entraide et la vie communautaire, surtout grâce au développement d'outils qui sont la contrepartie de son absence d'avantages biologiques. C'est cette perfectibilité qui est à la source de l'histoire.

phénomène (du grec *phainomenon*, ce qui apparaît). Chez Kant, ce qui, à partir des sens, se manifeste à la conscience. Plus généralement, un événement, un fait observable, avant toute analyse par l'esprit.

Platon. Philosophe grec, né en –427, mort en –348. Disciple de Socrate qu'il immortalise dans ses dialogues, il voyage beaucoup et fonde une école, l'Académie. Il est, avec Aristote, le plus prolifique écrivain de l'Antiquité.

platonicien, ne. Qui se réfère aux idées de Platon, ou les adopte.

pour-autrui. Chez Sartre, la manière dont je me vois parce que le regard des autres m'oblige à me distancier de moi-même et à m'envisager comme objet vu par eux.

pour-soi. Chez Sartre, la conscience, le seul élément, uniquement humain, qui existe comme reconnaissance de n'être pas un simple objet.

projet. Chez Sartre, capacité de vouloir s'échapper de situations malheureuses en agissant. La conscience d'une situatoin malheureuse pousse le *pour-soi* à vouloir être *en-soi.*

prolétaire. Ouvrier salarié dans la société industrielle (capitaliste chez Marx).

principe abstrait. Voir *concept abstrait.*

principe de réduction. Opération de l'esprit qui consiste à isoler les caractéristiques essentielles d'un objet ou d'un groupe d'objets, en éliminant les qualités non essentielles. Ce principe est nécessaire à la production du savoir abstrait. Voir l'exemple de la tasse donné dans la définition du terme *idée concrète.*

production de masse. Dans les sociétés industrialisées, se dit de la fabrication d'un produit en grand nombre grâce à une chaîne de montage qui fragmente un travail en une série d'actions indépendantes qui, additionnées, forment un produit. Le constructeur automobile Ford est l'un des premiers à appliquer ce principe à grande échelle aux États-Unis.

propriété privée. Dans une société de travailleurs libres (des artisans, par exemple), chacun a droit à la propriété du résultat de son travail, ainsi que sur son corps (et, par extension, sur ses enfants). Le travailleur salarié abdique ce droit en retour d'un salaire, l'esclave se le voit refusé, et les sociétés communistes ont tenté de le convertir en droit collectif. Toute politique sociale vise à retirer aux individus une partie de leurs revenus pour la redistribuer à chacun selon la nécessité (taxes et impôts agissent en ce sens).

psychisme (du grec *psukhè*, âme). Ensemble de l'activité consciente et inconsciente, y compris les pulsions.

pulsion (du latin *pulsus*, poussée). Force qui motive l'individu à agir afin de soulager une tension.

rationalité. Ensemble des aptitudes intellectuelles humaines qui produisent la *savoir abstrait*, où l'on ne considère pas les événements et les objets individuellement, mais plutôt d'après des règles générales, comme les lois de la physiques ou les codes de lois. La civilisation grecque est la première à développer une politique et un savoir rationnels conservés dans des écrits élaborés.

refoulement. Processus de défense du *Moi* selon lequel le sujet cherche à maintenir dans l'*inconscient* un *désir* où une expérience passée dont il ne peut prendre conscience sans être déstabilisé.

règle éthologique. Loi observée chez les animaux qui prétend que toute caractéristique d'un animal sert soit à l'adapter à son milieu, soit à améliorer ses chances de gain face à ses concurrents.

Reich, Wilhelm. Médecin et psychanalyste autrichien, né en 1897, mort en 1957. Il critique la morale bourgeoise et le fascisme.

réminiscence. Chez Platon, produit du souvenir où la perception d'un objet entraîne la prise de conscience d'un travail d'identification fait par l'individu, sans qu'au départ ce dernier ne puisse clairement identifier l'objet du souvenir. Elle a pour conséquence l'éveil à l'existence des *Idées pures*. Ainsi, le fait de reconnaître un cercle parmi des figures tracées peut faire prendre conscience de la constitution générale de l'idée de cercle. La perception de cette figure (*occurrence* de cercle) a suscité le souvenir du principe du cercle.

renforcement. Événement conséquent à une réaction du sujet, associé par *conditionnement opérant* à cette réaction, qui l'inhibe ou la suscite. Par exemple, une punition ou une prime rendront plus fréquente l'attitude honnête.

représentation concrète. Production d'un objet, d'une illustration ou d'un exemple concret, stimulant les sens et aidant à comprendre un concept ou une *idée abstraite*. Chez Platon, ces représentations sont imparfaites à cause de leurs *limitations terrestres*.

rituel apaisant. Type de *rituel de soumission.*

rituel de soumission. Comportement d'espèce, parfois appris, qui vise à interrompre l'agression en montrant qu'on se soumet. Par exemple, montrer sa gorge (combat de loups) ou agiter un drapeau blanc.

Rousseau, Jean-Jacques. Écrivain et philosophe, citoyen de Genève, né en 1712, mort en 1778. Orphelin et autodidacte, ses écrits dénoncent l'éducation, les inégalités sociales et les mœurs de son époque.

sadique. Chez Sartre, attitude de celui qui traite l'autre en objet sous sa domination (voir *masochiste*), que ce soit en amour, en amitié ou dans une relation de travail.

Sartre, Jean-Paul. Philosophe et écrivain français, né en 1905, mort en 1980. Ses écrits soulignent le caractère fondamental et essentiel de la liberté humaine et le problème qu'il y a à l'assumer dans l'engagement social.

sartrien, ne. Tiré de la philosophie de Sartre.

savoir abstrait. Ensemble de connaissances produites par la *rationalité*, qui s'éloignent de l'observation brute des *phénomènes* et traitent des objets intellectuels, le plus souvent par élimination des qualités sensorielles non essentielles. Le savoir qui affirme que la Terre se déplace à haute vitesse autour du Soleil constitue un exemple de savoir abstrait. Il fallut plus de 1500 ans avant qu'on déduise cette réalité des données brutes tirées de l'observation des phénomènes astronomiques.

séjour terrestre. Chez Platon, équivalent d'une vie; période pendant laquelle une âme habite dans un corps.

séjour céleste. Chez Platon, période entre la mort et la nouvelle *incarnation* de l'âme durant laquelle celle-ci peut contempler les Idées pures dans le monde immatériel (sans *occurrences*).

sensation. Stimulation brute de l'organisme, non encore traitée par la pensée, par opposition à la *perception.* La douleur et le plaisir sont des sensations.

sevrage (du latin *separare*, séparer). Cesser l'allaitement et, par extension, priver l'enfant du soutien parental, aux plans matériel, financier et affectif.

Skinner, Burrhus Frederic. Psychologue béhavioriste étatsunien, né en 1904, mort en 1990. Il développe le principe du *conditionnement opérant,* ainsi qu'une critique des valeurs intrinsèques chez l'être humain.

Socrate. Philosophe grec, né en –470, mort en –399, connu grâce à Platon, Aristophane et Xénophon. L'*ironie* socratique consiste à enseigner en posant des questions. Cet exercice prétend faire découvrir à son interlocuteur ce qu'il ignorait en puisant dans ses réponses. C'est la *maïeutique* socratique : l'art d'accoucher les esprits (le philosophe étant le «sage-homme»).

socratique. Tiré des théories de Socrate, de sa méthode.

soi. Chez Nietzsche, partie de l'individu qui ne s'enchaîne pas à des désirs, mais qui visite le quotidien en curieux, sans âme de collecteur.

somatique (du grec *sôma*, le corps). Se dit des blessures psychiques qui affectent le corps. Freud et ses collègues sont des pionniers dans l'art de guérir certains troubles corporels en traitant un problème psychologique plutôt que sa réaction somatique.

subjectivité. Ensemble de l'activité intellectuelle propre à un individu. Un point de vue est dit «subjectif» s'il dépend de la position de celui qui juge ou perçoit.

surhumain. Chez Nietzsche, qualité de celui qui vit pour *soi*, étant créatif et indépendant, manifestant sa volonté dans la réalisation de ses rêves, sans se soucier des critiques de la masse et cherchant l'entourage d'amis francs.

Surmoi. Une des trois parties du *psychisme* qui juge les actions du *Moi*. Il se forme par identification et introversion des figures autoritaires, le plus souvent parentales.

tabou (mot polynésien). Interdit social ou moral.

terrestre. Voir *monde terrestre*.

test d'associations. Test conçu par Jung afin de mesurer le temps de réaction du sujet lors de l'écoute des éléments d'une liste de termes de manière à piéger des complexes affectifs refoulés chez ce sujet.

théologie. Étude de Dieu, à la lumière de la Révélation (la Bible), chez les chrétiens.

théorie des Idées. Chez Platon, théorie qui explique la nature immatérielle et permanente du contenu de l'âme, soit les *Idées pures*, ainsi que leur rôle actif dans la *perception*.

théorie gravitationnelle. Théorie publiée par Newton dans son ouvrage *Principes mathématiques de philosophie naturelle*, publié en 1687, qui affirme que les corps célestes s'attirent les uns les autres en proportion de leur masse respective et donc, notamment, que la Lune chute vers la Terre, et que cette dernière chute vers le Soleil.

Thomas d'Aquin (saint). Théologien dominicain italien, né en 1225, mort en 1274. Il combine, dans sa *Somme théologique*, foi et raison en intégrant à l'enseignement biblique les textes d'Aristote, de saint Augustin et des Pères de l'Église.

thomisme. Nom donné à la philosophie et à la théologie de Thomas d'Aquin.

Tocqueville, Alexis (de). Écrivain et politicien français, né en 1805, mort en 1859, qui étudie le fonctionnement de la démocratie.

topographie (des termes grecs *topos*, lieu, et *graphein*, décrire). La disposition des zones sur une surface.

valeur d'échange. Temps de travail que nécessite la réalisation d'un produit ou l'accomplissement d'un service dans un mode de production donné, incluant le temps déjà accumulé dans la fabrication des matériaux et l'usure des outils nécessaires.

Viêt-nam. Voir *guerre du Viêt-nam.*

volonté de puissance. Chez Nietzsche, capacité naturelle de toute forme de vie à s'exprimer dans le monde au moyen d'actions individuelles.

Wilson, Edward Osborne. Biologiste étatsunien, né en 1929, qui fonde la *sociobiologie* en se fondant sur l'étude des insectes sociaux.

Table des matières

MEMBRE DU GROUPE SCABRINI

Québec, Canada
2005